Les Éditions du Boréal
4447, rue Saint-Denis
Montréal (Québec) H2J 2L2
www.editionsboreal.qc.ca

DE SI DOUCES DÉRIVES

DU MÊME AUTEUR

AUX ÉDITIONS DU BORÉAL

ROMANS

À voix basse
Les Choses d'un jour
Courir à sa perte
La Fleur aux dents
La Fuite immobile
Les Maladresses du cœur
Parlons de moi
Le Tendre Matin
Un homme plein d'enfance

NOUVELLES

Enfances lointaines
L'Obsédante Obèse et autres agressions
Tu ne me dis jamais que je suis belle
Comme une panthère noire

RÉCIT

Un après-midi de septembre

CHRONIQUES

Chroniques matinales
Dernières Chroniques matinales
Nouvelles Chroniques matinales
Les Plaisirs de la mélancolie
Le Regard oblique

CHEZ D'AUTRES ÉDITEURS

Les Pins parasols, roman
Stupeurs, proses
Le Tricycle suivi de *Bud Cole Blues*, textes dramatiques
Une suprême discrétion, roman
La Vie à trois, roman
Le Voyageur distrait, roman

Gilles Archambault

DE SI DOUCES DÉRIVES

nouvelles

Boréal

Les Éditions du Boréal remercient le Conseil des Arts du Canada
ainsi que le ministère du Patrimoine canadien et la SODEC
pour leur soutien financier.

Les Éditions du Boréal bénéficient également du Programme
de crédit d'impôt pour l'édition de livres du Gouvernement du Québec.

Dépôt légal : 2e trimestre 2003
Bibliothèque nationale du Québec

Diffusion au Canada : Dimedia
Diffusion et distribution en Europe : Les Éditions du Seuil

Données de catalogage avant publication (Canada)

Archambault, Gilles, 1933-

De si douces dérives

ISBN 2-7646-0240-5

I. Titre.

PA8501.R35D4 2003 C843'.54 C2003-940654-7

PS9501.R35D4 2003

PQ3919.2.A72D4 2003

Pour Alexandre Stefanescu

Près du cimetière, tout près

Olivier habite tout près d'un cimetière. L'agent immobilier qui lui a proposé cet appartement a beaucoup insisté sur le calme ambiant. Il a même blagué sur les habitudes de ses voisins éventuels qui, a-t-il assuré, se couchent très tôt et passent leurs journées à dormir. Et sourds de surcroît !

En automne, Olivier aime bien se promener dans les allées désertes de ces petits lopins couverts de monuments funéraires souvent décrépits. Il s'arrête parfois devant une stèle, scrutant les inscriptions avec la même attention qu'il porte dans les musées aux dates de naissance et de décès du peintre dont très souvent il regarde à peine l'œuvre.

Aujourd'hui, il a ressenti un malaise dès son entrée dans le cimetière. Rassurant d'habitude, le lieu lui a paru menaçant. Comme si des hurlements lui étaient parvenus, à peine assourdis par la rumeur du boulevard tout proche.

Il vient d'avoir quarante ans, sa santé est bonne. Il a le cheveu rare, le front se dégarnit peu à peu, mais quelle importance ? Il est en congé sabbatique. Pas de cours à donner avant onze mois. Ce n'est pas qu'il n'aime pas enseigner, mais il lui a semblé qu'une halte lui serait bénéfique. À la faculté, il a plutôt bonne réputation, les quelques ennemis qu'il a semés sur sa route l'ont même recommandé pour un prix. Sa femme embellit, leur fils Samuel s'est vite adapté à l'école secondaire où ils viennent de l'inscrire.

Tout à l'heure, il a été tenté de rebrousser chemin. À cause des cris. Des cris ? Des plaintes, plutôt, lancinantes, à peine audibles. Il sait que les morts sont bien morts, qu'ils ne peuvent protester. Leur temps est derrière eux. Les rues du quartier n'offrant tout de même pas la même qualité de quiétude que le cimetière, il a décidé de passer outre aux rumeurs qui pourtant persistent. Jamais il n'admettrait qu'il n'aurait eu qu'à franchir le boulevard, puis une impasse, pour aboutir à une longue artère bordée d'ormes où règne un silence au moins équivalent. Mais est-ce bien la paix qu'il recherche ?

On évoque souvent le repos, l'apaisement à propos des cimetières. Olivier l'a longtemps cru. Comme l'agent immobilier. Pourtant, cet après-midi, alors qu'un soleil timide éclaire les tombes et qu'il foule du pied des papiers gras abandonnés par des visiteurs négligents, il se demande si ce calme n'est pas trompeur. Mais oui, il ne peut pas le nier, c'est bien une longue plainte exprimée à l'unisson qui lui parvient de ce sol dans lequel on a entassé depuis tant d'années une multitude de corps. Les vivants ont cru se débarrasser à jamais de ces cadavres, mais une voix émane d'eux. Une voix qui, à l'instant même, devient omniprésente, presque furieuse.

Olivier s'est souvent demandé qui pouvait avoir été ce Baptiste Lefrançois né en 1907 et décédé en 1947. Il s'est marié avec une Béatrice Kojack. Le couple a eu deux enfants, Marie et Jo. Il a imaginé à Baptiste plusieurs vies tout aussi fantaisistes les unes que les autres. Selon les jours, selon son inspiration. Il n'enseigne pas le roman italien pour rien. Italo Calvino surtout. Le monument qu'a dû choisir l'épouse est de piètre qualité, le marbre s'effrite à plusieurs endroits. Il y a belle lurette qu'on ne s'est pas donné la peine de désherber le petit rectangle de pelouse qui l'entoure.

Que faisait ce Baptiste Lefrançois dans la vie ? Mort de cancer, imagine Olivier. Dans sa famille, on meurt de cancer. Voilà pourquoi il a supposé que l'inconnu avait été frappé d'un mal identique. Olivier le sait, il mourra de la même façon lui aussi. Même si on a à peine diagnostiqué une petite tumeur il y a deux ans et qu'on lui a donné l'assurance qu'elle était bénigne, Olivier croit qu'il en mourra. Sans en être autrement attristé. Il connaît le nom de l'ennemi qui le terrassera, rien de bien effroyable.

Ariane se moque de lui. « Mais, chéri, regarde-toi, tu es fort, tu nous enterreras tous », dit-elle en lui tapant sur le ventre. Pourquoi emploie-t-elle ce « tous » alors que, leur fils excepté, ils sont seuls au monde, qu'ils n'ont pas d'amis, que leurs parents ont disparu depuis longtemps et que les vagues connaissances qu'ils ont se comptent sur les doigts de la main ? Ariane dit n'importe quoi. Et c'est tant mieux. Elle est joyeuse, se rit de tout, aurait pu faire carrière comme avocate mais préfère rester à glandouiller à la maison.

Olivier admet sans peine qu'il n'a jamais été pour Ariane un amant très chaleureux. L'amour physique auquel ils se livrent de moins en moins n'a jamais rien eu de bien excitant. À quarante ans comme à trente, ils ont été plus que raisonnables sous ce rapport. Il semble parfois à Olivier que sa femme souhaiterait de sa part un peu plus d'affection. Il prend alors des décisions qui n'ont pas de lendemains. Ariane souffre-t-elle de la froideur de son mari ? Il ne le croit pas. Il existe des couples passionnés, Ariane et lui n'en font pas partie.

Il s'était éloigné du petit monument, il y revient. N'a-t-il pas aperçu vers le haut de la pierre tombale l'esquisse d'un piano de concert ? Si maladroite qu'elle en est touchante. Ce Baptiste Lefrançois devait aimer la musique. Du genre à faire collection de disques. Il l'imagine vivant dans un logis minable, entouré de 78 tours. Peut-être même jouait-il du piano. Sans savoir pourquoi, Olivier se convainc qu'il interprétait à merveille les valses de Chopin. Ariane pianote. Des airs sans importance qu'elle a appris du temps de son adolescence. Son répertoire est limité, deux ou trois chansons insignifiantes des Beatles, d'autres de groupes américains des années soixante-dix. À peine Olivier reconnaît-il quelques passages tellement Ariane trafique la mélodie. Cela ne l'empêche pas d'être rempli d'admiration. Sa femme peut se divertir devant un piano. Lui ne joue d'aucun instrument, il chante faux et s'il a publié jadis des poèmes dans une revue d'étudiants, il sait depuis longtemps qu'il ne deviendra jamais écrivain. Il n'en ressent d'ailleurs aucun regret. Son destin est d'être professeur dans une université. Mieux vaut l'accepter.

S'il mourait demain, que pourrait-on inscrire sur son

monument funéraire ? Rien. Deux dates, rien de plus. Ariane n'est pas amoureuse au point de prétendre qu'il a été un mari hors de pair ou un éducateur de haut vol. Elle n'aime ni le mensonge ni l'hyperbole.

« Je n'ai vraiment rien accompli d'exceptionnel », se dit-il en regardant de plus près la pierre tombale de Baptiste Lefrançois. Le graveur a écrit en lettres minuscules la marque du piano, un Steinway. Baptiste Lefrançois donnait peut-être des concerts. Il a probablement connu le monde. La tournée des grandes capitales européennes, la guerre a interrompu une carrière prometteuse. Il en est mort. Et puis, le cancer qui le rongeait. Comment a-t-il abouti si jeune dans ce cimetière minable ? Le cancer, Olivier sait ce que c'est, mais pourquoi ne l'a-t-on pas enseveli ailleurs, avec les hommages auxquels il avait droit ? Une aventure amoureuse qui avait mal tourné peut-être, une fatigue extrême aggravée par la maladie, puis le retour au pays où l'attendaient femme et enfants. Une vie, enfin, une vie dans laquelle les événements se sont bousculés. Baptiste Lefrançois a changé la sienne, pas sa faute si tout s'est si mal terminé. Est-ce lui qui hurle ? Il aurait raison de protester. Olivier n'a été qu'un profiteur, il en est de plus en plus convaincu, un tout petit profiteur qui a toujours prétendu que l'enseignement lui tenait vraiment à cœur, que la vie avait pour lui une signification. « Je ne fais plus l'amour à ma femme, je ne me perfectionne plus, je n'ai pas ouvert un livre de Pavese ou de Buzzati depuis longtemps même si je les inscris à mon programme depuis sept ans. »

Pourquoi a-t-il eu la permission de vivre alors que tant d'autres dont il foule les ossements en ont été empêchés ou ont été interrompus brutalement dans leur course ? Eux qui avaient le désir de tout connaître ? Baptiste Lefrançois avec son piano qu'il devait adorer, qu'il devait regarder avec vénération, Baptiste Lefrançois qui devait avoir régulièrement l'impression de découvrir la beauté, qui brûlait du désir de faire connaître à un public assoiffé de poésie des visions du bonheur. Qu'importe si l'assistance était restreinte et de piètre qualité, il avait sûrement connu la sensation d'être un messager des dieux.

Utile, Olivier n'a jamais eu le sentiment de l'être. Ariane se passerait rapidement de sa présence. Elle joue au golf, fait du bénévolat, va au théâtre. Voit-elle seulement le temps passer ? Samuel doit bien le mépriser un peu. Il dévore les livres. Son ambition, devenir romancier. Il réussira, c'est évident. Pourvu qu'il y mette un peu de détermination. Qu'il n'imite pas son père, lui qui n'a même plus le désir de se secouer. Parfois, en se mettant au lit, il se dit que dès le lendemain il s'efforcera de modifier sa vie. Au réveil, il n'a pas plus le goût de se prendre en main que d'enlacer Ariane. Il rage à la pensée qu'il devra corriger des copies d'étudiants ou jeter un coup d'œil à des notes dont le vide lui semble de plus en plus évident.

Il sait que lorsqu'il rentrera tout à l'heure, Ariane lui demandera s'il a fait une promenade agréable et insistera pour lui recommander de ne plus marcher si longuement par temps frais et de se vêtir plus chaudement.

À la sortie du cimetière, il croise un couple de vieillards. L'homme marche en s'appuyant sur une canne, la femme a le dos courbé. Il est laid, nez crochu, couperose, ventre proéminent. Elle passe son bras sous le sien, il en paraît ennuyé. « Ariane et moi dans trente ans », pense-t-il. Un taxi passe à vive allure. Olivier le hèle. Le crissement des pneus sur l'asphalte le surprend. Mais pourquoi a-t-il levé le bras soudainement ? L'ennui avec les taxis, c'est qu'il faut leur indiquer une destination. À peine a-t-il tiré la portière vers lui qu'il glisse : « Dorval, s'il vous plaît. » Partir sur un coup de tête, sans prévenir, sans bagages, un rêve qu'il ne croyait jamais accomplir. Ariane ne comprendra pas qu'il se soit enfui de la sorte. Qui comprendrait ? D'autant qu'il ne trouverait pour expliquer son geste que cette phrase sûrement murmurée sans conviction : « Je n'en pouvait plus d'entendre cette valse de Chopin, il fallait que je parte. » Les cris, les protestations véhémentes des morts, il n'en parlerait pas. Ariane ne comprendrait vraiment pas.

Le cinéma, ça t'irait ?

Depuis la mort de Camille, je sors peu. Je me contente d'inviter à l'appartement les quelques amis qui me restent. Camille n'aimait pas beaucoup recevoir. Peut-être aurait-elle été plus conviviale si elle avait mieux supporté les hurluberlus que j'ai toujours eu plaisir à fréquenter. J'ai souvent recherché la compagnie d'êtres compliqués.

Je crois avoir aimé ma femme. Des torts, j'en ai eu. Elle aussi. Pas toujours facile à vivre. Qui l'est ? Elle me reprochait de fumer. Combien d'algarades à ce propos ! Un an depuis sa disparition. J'ai cessé de fumer presque aussitôt. Mauvaise foi de ma part ? C'est possible. Il me semblait qu'en cédant trop facilement à son intransigeance, je mettais notre couple en péril. Il en était de même pour l'alcool. Elle supportait mal que je termine la soirée par un cognac. Les amis venaient-ils se joindre à nous pour les fêtes de fin d'année ou pour un anniversaire, elle leur reprochait d'enfumer l'appartement et de boire indûment.

J'en parle comme si tout était clair dans mon esprit. Il n'en est rien. Vingt-cinq ans de vie commune avec une femme ne fait pas nécessairement de vous un homme éclairé sur les choses de l'amour. Tout au plus êtes-vous prévenu. Quand j'ai su que Camille allait mourir d'un cancer particulièrement douloureux, je me suis rapproché d'elle. Je crois même avoir été un compagnon plutôt chaleureux. Mieux vaut être de la onzième heure que perpétuel négligent. Pour la mieux soutenir, je me suis absenté de mon bureau d'architecte. Je n'avais pas la tête à construire.

Hier, ma fille m'a téléphoné. Audrey veut me voir de toute urgence. Sans doute souhaite-t-elle me demander de l'argent. J'en ai l'habitude. À quoi peut-on servir d'autre quand on prend de l'âge ? Et puis, je ne me plains de rien puisqu'il n'est pas sûr que sans son impécuniosité elle n'aurait pas rompu les ponts. À vingt ans — est-ce bien vingt ans qu'elle a ? — elle n'a rien à dire à son père. Que trouvais-je à dire au mien ?

Pourquoi ai-je suggéré que nous allions au cinéma ? Je ne suis pas entré dans une salle obscure depuis au moins cinq ans. Et parce que Camille m'y avait entraîné. Peut-être au fond parce qu'Audrey m'a confié son désir de faire carrière dans le cinéma. Je n'ai rien indiqué qui puisse marquer mon désaccord. Je n'ai jamais aimé mon métier. D'ailleurs si je suis devenu architecte, c'est par pure couardise. Pour moi, une solution de facilité. Mon futur beau-père était à la tête d'une firme d'architectes. Il se retirerait bien un jour. Alors pourquoi pas ne pas opter pour sa profession ? Dans les périodes difficiles, Camille ne manquait pas de me dire que ce n'était pas elle que j'avais choisie, mais bien plutôt la sécurité. Bien sûr, je protestais vivement, pourtant petit à petit je me suis mis à admettre qu'elle n'avait pas tout à fait tort.

Audrey porte un polo décolleté en V d'un rouge très vif. Framboise ? Non, cerise, dit-elle. Ma fille est belle. Des cheveux noirs en tresses, une peau olivâtre, un menton volontaire. Elle me rend mon baiser furtivement.

— Le film te tente, au moins ?

Elle fait la moue. Camille réagissait de la même façon quand je la contrariais.

— Pas tellement, à ce que je vois. Pourtant, il me semblait que mon idée n'était pas mauvaise. Un vieux Cassavetes, tout à fait ton genre, non ?

Avec moi, tout est vieux. Je ne découvre plus rien. Elle hésite. Un mouvement des lèvres que Camille avait souvent.

— Je n'ai pas le goût ce soir. Excuse-moi.

— Tu as mangé ?

— Non, mais je n'ai pas faim.

— Un café, alors ?

J'ai tort d'insister. Elle éclate en sanglots. La première fois que je vois Audrey pleurer depuis au moins dix ans. Un chagrin d'amour peut-être. Je ne lui connais pas d'amoureux. Il est vrai qu'on ne dit pas tout à un père. À plus forte raison un père dans mon genre. Surtout si on est partie de la maison en claquant la porte.

— On marche un peu ? demande-t-elle sur un ton presque suppliant.

Tant pis pour le cinéma ! J'aurais pourtant aimé revoir ce *Shadows* que j'ai vu à New York avec Camille vers 1975. Quand on a programmé le film à la Cinémathèque il y a six ou sept ans, j'ai refusé d'accompagner Camille. Trop tard maintenant. Tout est toujours trop tard.

— Dis-moi, ça ne va pas tellement, n'est-ce pas ?

C'est tout ce que je trouve à dire pour rompre le silence qui s'est installé. Façon de parler, on klaxonne à qui mieux mieux à deux pas. Audrey n'a pas voulu que nous empruntions une rue plus discrète. Comme si elle était insensible au bruit. Mais peut-être prend-elle plaisir à s'opposer à moi.

— Ça se voit, non ? répond-elle.

Il y a de l'agressivité dans sa voix. De la lassitude aussi. Je ne commente pas. Je connais ma fille tout de même un peu. Je sais qu'elle explosera, qu'elle prononcera des énormités, puis qu'elle me demandera de l'excuser. En cela, pareille à sa mère. Allez savoir pourquoi, je me mets à penser aux chaussures que je dois faire ressemeler. Pendant que ma fille marche à mes côtés, qu'elle s'apprête probablement à m'agonir d'injures, j'en suis à me demander s'il vaut vraiment la peine de faire appel à un cordonnier pour qu'il répare mes godasses usées. Je suis ainsi, je n'arrive pas à me défaire de mes vieilleries. Un homme d'un autre âge, voilà ce que je deviens de plus en plus. Sans tellement le déplorer.

— Tu crois vraiment que…

Je ne parviens pas à terminer ma phrase. Audrey hurle presque :

— Non, mais tu ne comprends vraiment rien. Est-ce que j'ai l'air d'une fille heureuse ? Regarde-moi ! Tu ne t'intéresses pas aux autres. Tu ne sais pas ce qu'aimer veut dire !

J'accuse le coup. Que pourrais-je répliquer ? Ce n'est pas la première fois qu'on m'en fait le reproche, l'amour m'a toujours embêté.

— C'est possible. C'est pour me dire ça que tu tenais tant à me voir ? Avoue que tu aurais pu attendre un peu. Je ne me sens pas bien ces jours-ci. Il me semble que j'ai tout raté. L'amour, surtout. Figure-toi que je suis tout à fait d'accord avec toi. Je ne sais pas aimer. Toi, tu sais ?

Les yeux baissés, elle dit :

— Ça dépend des jours. On n'est jamais sûr. Mais comment peux-tu être si implacable ? Maman aurait aimé que tu sois plus présent. T'en es-tu rendu compte ? Tu ne partais jamais en voyage sans elle, un modèle de docilité. Une docilité tout apparente. Tu avais beau l'accompagner, tu n'étais pas là ! As-tu au moins essayé de l'aimer, ta femme ? Tu n'en vois pas d'autres, au moins ? Tu es un danger pour les femmes que tu fréquentes, le sais-tu ?

Je suis interloqué. Non, vraiment, je ne me suis rendu compte de rien. Je me situerais plutôt du côté des tièdes, de ces êtres que leur nullité place hors de la course. Audrey fait quelques pas, s'arrête. Je la rejoins, pose ma main sur son bras. Elle me repousse doucement.

— Pas très réussie, notre rencontre, dis-je sur un ton que je souhaite le plus éloigné possible de celui du reproche.

Je ne dois pas l'indisposer davantage, plutôt essayer de faire en sorte qu'elle me tolère. En ce domaine, je suis plus que raisonnable.

— C'est toujours ainsi, non ? J'ai souvent l'impression de t'ennuyer. Tu ne t'es jamais intéressé à ce que je faisais. Te souviens-tu de m'avoir jamais lu un conte quand j'étais petite ? Plus tard, quand j'allais à ton bureau, tu me faisais comprendre que ma présence t'embêtait. Tu ne disais rien, mais je comprenais que je devais déguerpir au plus tôt. Maman s'est souvent confiée à moi, les derniers mois. Elle était persuadée que nous t'ennuyions. Tu vivais dans les nuages. Tu étais ailleurs. Où ? Peut-être ne le savais-tu pas toi-même.

Comment me défendre ? Je sais qu'elle a raison. J'aurai passé ma vie à chercher une justification que je ne trouverai jamais. Les premières années de ma vie d'homme, il y a eu le travail. Puis, je m'en suis lassé. Quand Audrey est parvenue à l'adolescence, j'ai ressenti pour elle un attachement que je n'avais pas soupçonné. Elle ne s'est aperçue de rien. À cause de ma maladresse assurément.

— Tu as besoin d'argent ?

— Non, ça va.

Je lui enverrai un chèque par la poste. Elle suggère que nous rebroussions chemin. Je me mets à souhaiter qu'elle accepte enfin d'aller au cinéma. De cette façon, je gagnerais un peu de temps, nous parlerions peut-être du film, elle finirait pas me dire qu'elle ne m'en veut pas tant que ça.

— Cassavetes aimait les films de Truffaut. Tu as vu *La mariée était en noir* à la télé, dimanche dernier ?

Je te rappelle

Du moment où j'en ai pris possession, j'ai détesté ce portable. Je n'aime pas téléphoner. Encore moins recevoir des appels. Mais comment y couper, je suis maquettiste pigiste. Si le téléphone ne sonne pas, je suis cuit.

Je devrais donc me réjouir d'être sollicité à l'envi. J'habite un loft spacieux dans une zone naguère vouée à l'industrie métallurgique. Les ouvriers qui ont œuvré dans mon immeuble sont morts ou finissent leur vie dans une maison de repos. J'ai pris leur place en quelque sorte. Allez, je bosse moi aussi, mais à mon rythme. Pas de contremaître pour me pousser à accélérer la cadence. Des jours entiers à ne rien faire. Puis je m'active comme un dément. Je vis comme je l'ai toujours souhaité.

Le décor qui m'entoure me plaît. Des meubles à l'allure futuriste que je ne suis pas sûr d'aimer tout à fait mais qui rendent compte de l'aisance dans laquelle je me trouve. Aux murs quelques tableaux non figuratifs qui prendront peut-être de la valeur, mais cette plus-value éventuelle ne me préoccupe pas. Non, je ne suis pas à plaindre.

Pour l'heure, je vis seul. J'ai des amis en nombre suffisant. Ils ne sont pas tous supportables, mais je m'en accommode. Si on excepte Jim, ils proviennent tous d'un milieu petit-bourgeois. Jim est né à East St. Louis. Il a passé son enfance dans un orphelinat et ne nous fait pas trop payer le poids de sa négritude. J'ai eu plus de chance que lui. Mon père était facteur. Il ne rentrait jamais à la maison avant minuit et empestait la bière. À cause de lui, j'ai toujours été un buveur raisonnable.

Parfois, le soir, quand j'ai réuni une dizaine de personnes, que les femmes sont désirables et point trop compliquées, je me dis que je n'ai pas gâché ma vie. Bien sûr, il ne faut pas exagérer. Mettons que ce n'est pas mal pour un enfant du peuple qui n'a pas tellement étudié. Je m'entoure d'écrivains, de cinéastes, de peintres, de comédiens qui s'adressent à moi comme si j'étais des leurs. Rarement avec condescendance. D'ailleurs, je me l'accorde, si j'ai quitté le collège trop tôt, j'ai un peu lu. Pas tellement, mais assez pour faire illusion. Je ne m'en prive pas. La vérité, ça intéresse qui?

Hier, je montais dans mon auto lorsque j'ai reçu un appel. J'ai cru qu'il s'agissait de Jim, qui rentrait de New York. Peut-être avait-il déniché l'album de reproductions d'art juif que je cherchais. Manque de pot, c'était Maxime, un ami oublié. Nous nous sommes connus il y a une trentaine d'années. J'occupais un emploi d'été dans une succursale de la Société des alcools. Maxime y travaillait comme caissier.

J'ai tout de suite reconnu sa voix, éraillée, hésitante. Comme si trente ans ne s'étaient pas écoulés. Comment m'avait-il repéré ? Croyant bien faire, un ami de Jim lui avait communiqué mon numéro. Quel enfoiré ! Je n'aime pas revenir sur le passé. Surtout le mien. Il me semble toujours que ma vie est une suite de gestes ridicules. Maxime se souvient sûrement qu'à l'époque j'espérais devenir écrivain. À la suite de quoi, je me le demande. Probablement la lecture d'un livre. Je crois qu'il s'agit de *La Chartreuse de Parme.* J'ignorais tout du français, j'avais peu vécu. Le doute et moi, ça n'a jamais fait bon ménage. Tout le contraire de Maxime.

Il avait le visage anguleux, un nez de boxeur, et s'exprimait par monosyllabes. Ajoutez à ce portrait qu'il n'était pas très grand, qu'il était large d'épaules et que, même à vingt ans, il était menacé d'embonpoint. Je ne me serais pas tellement intéressé à lui si je n'avais pas dû le relayer à la caisse d'un magasin du Plateau Mont-Royal. Un jour, il avait sorti de son fourre-tout un exemplaire de *Justine* de Lawrence Durrell que je venais justement de lire. Du coup, Maxime m'avait paru intéressant. Au reste il l'était. Ne se consolant pas de ne pas avoir terminé son secondaire, il lisait à tort et à travers les ouvrages les plus divers. *Justine,* c'était un heureux hasard. Il lisait plus volontiers des best-sellers, des prix littéraires ou des romans qu'il achetait d'occasion. Il me demandait des conseils, je lui en prodiguais volontiers. J'ai toujours aimé dominer.

— Je t'appelle, c'est simple, parce que je n'ai personne d'autre à appeler.

Il avait tout perdu. Sa femme venait de le quitter. Il avait été chassé de son emploi à la suite d'une magouille à laquelle il avait été mêlé malgré lui. À la Société des alcools ? Je m'imagine toujours que les choses n'évoluent pas, que les gens sont tels que je les ai laissés la dernière fois. La S.A.Q., c'était terminé depuis longtemps. Il travaillait pour une agence gouvernementale fédérale dont j'ai oublié le nom. Il faut dire que je l'entendais à peine. Dans le parking où j'étais, l'activité était à son comble. Quelle idée aussi de m'appeler à cinq heures !

— Toi seul peux me comprendre. Tu m'as déjà donné des preuves de ta générosité. Ma première auto, je n'ai pas oublié.

Moi non plus. Il avait attendu trois ans avant de me remettre le montant de l'emprunt. Et parce que j'avais insisté. Je ne roulais pourtant pas sur l'or en ce temps-là.

— Je ne vois personne. Tu dois bien disposer d'une petite soirée. Une heure ou deux. Nous pourrions parler un peu. Comme nous faisions à l'époque. Tu te souviens du vieux Lambert ? Il est mort, il y a six mois. À quatre-vingt-douze ans, tu te rends compte !

Comme si j'avais du temps à perdre ! Me remémorer ce vieil imbécile qui ne dessoûlait pas et que nous devions protéger pour que les superviseurs ne s'aperçoivent pas qu'il éclusait son litre de rhum aux frais de la princesse chaque jour de travail. Maxime a toujours eu d'étranges rapports avec l'alcool. Il en parle avec gourmandise comme si d'avouer son alcoolisme rendait sa maladie plus acceptable. Il a toujours prétendu que Lambert était un chic type. Il n'a pas vu qu'il était une loque sans intérêt. Des tentatives de réhabilitation, Maxime en a fait au moins trois, allant jusqu'à animer des séances pour les Alcooliques anonymes. De la frime évidemment.

— Raymond Carver est passé par là lui aussi, ajoute-t-il. Il était au bout de son rouleau. Il s'est pris en main.

Je ne connais pas cet auteur. Maxime entreprend de m'instruire. Les rôles sont inversés. J'ai beau lui dire que je dois rentrer, que je l'entends mal à cause du bruit, il persiste.

— Carver était un alcoolique fini. Il a réussi à s'en sortir. Alors pourquoi pas moi? Mais pour l'instant, j'ai besoin qu'on m'aide. J'imagine que tu es très occupé. Une heure, pas plus. Si tu savais comme ça me ferait du bien.

Il ajoute que je ne dois pas craindre qu'il veuille m'emprunter de l'argent. Il a appris à se contenter de peu. Où habite-t-il maintenant qu'il a quitté la maison de Saint-Michel où vivent sa femme et leurs trois enfants, des filles qui doivent bien frôler la trentaine? Des gourdes assurément si elles n'ont pas choisi, à leur âge, de mettre les voiles. Il me dit qu'il s'est déniché un petit studio minable dans Rosemont. Je n'ai pas pris note de son adresse ni de son numéro de téléphone. J'étais si impatienté que même si on m'avait tendu un bloc à ce moment-là je l'aurais refusé. Quant à moi, il pouvait aller se faire foutre. Je n'avais qu'un seul désir, rentrer à l'appartement. Un comportement que j'ai vite regretté. Maxime est un brave cœur. Une autre lâcheté à porter à mon compte. Et puis tant pis, je n'ai ni le temps ni le désir de revoir Maxime. Que trouverais-je à dire à un malchanceux alors que les choses vont plutôt bien pour moi? Il faut laisser le passé aux oubliettes. Des contrats, j'en refuse. C'est depuis que j'ai décidé de prendre du bon temps, de ralentir, d'aller en vacances à l'étranger tous les trois mois que les contrats de plus en plus lucratifs me tombent dessus. Grâce à Jim, un allié précieux, je me tiens à la fine pointe de l'actualité dans le domaine qui est le mien. C'est le présent qui m'intéresse. Pas de liaisons féminines sérieuses depuis un an, j'ai le champ libre, jamais de crises de nerfs à supporter. Quand Jim a trop bu et qu'il ne veut pas rentrer chez lui parce qu'il craint la réaction de Cynthia, un mannequin superbe mais sotte à en mourir, il vient cuver son vin chez moi. Il est drôle, Jim. C'est de types dans son genre que j'ai besoin, pas de place pour des Maxime qui ne cessent jamais de se plaindre. Est-ce ma faute s'il a commis gaffes par-dessus gaffes, s'il a bu comme quatre et s'il n'a pas su retenir sa femme ? Je l'ai connue, celle-là. Elle avait dix-huit ans à l'époque, parfaitement niaise, elle dévorait Maxime des yeux. Je lui avais dit de se méfier. Cette fille n'était pas pour lui. Il m'en a voulu. Je ne lui donnerai plus jamais de conseils. On ne transforme pas les gens. Maxime, je pouvais lui faire lire Flaubert ou Céline, mais pour aboutir à quoi ? Pauvre connard de Maxime, je ne t'en veux pas, mais je suis trop occupé, vraiment trop occupé pour te voir.

S'il me rappelle, après tout, cela est possible puisqu'il a toujours mon numéro, que je ne l'ai pas rabroué, saurai-je comme hier prétendre que mon carnet est rempli de commandes, que je dois assister la semaine prochaine à un congrès au bout du monde ? Quand le téléphone sonne, je sursaute. Il me semble toujours que ce sera lui.

La sonnerie, justement. J'ai un afficheur, mais le numéro m'est inconnu. Je réponds. On verra bien.

— C'est moi, c'est Maxime.

Il a un débit très lent. Il a bu. Je supporte de moins en moins les ivrognes, surtout ceux qui s'accrochent à vous.

— Pauvre vieux, tu n'as vraiment pas de chance, je m'apprêtais à partir. Laisse-moi ton numéro, je te rappelle sans faute.

Écris-moi, je t'en prie

Après son travail, David descend à pied la rue Stanley. Une habitude vieille d'une quinzaine d'années. Il pourrait tout aussi bien emprunter la rue Drummond puisque son bureau du boulevard Maisonneuve est tout à côté.

On est en novembre. À dix-huit heures, la nuit est tombée depuis une heure déjà. C'est du moins ce qu'il imagine. David est un bourreau de travail. Il ne lui viendrait jamais à l'esprit de jeter un coup d'œil par la fenêtre, dont les stores sont toujours tirés. À la porte d'une trattoria, il aperçoit un amoncellement de déchets. Il peste contre la saleté des rues de la ville, puis se souvient tout à coup qu'il y a une vingtaine d'années une femme lui a remis à cet endroit même une liasse de lettres et de billets qu'il lui avait adressés. C'était en novembre, justement. Sarah était dépressive. Si elle lui avait redonné ses lettres, c'était pour tirer un trait sur une relation qui, selon ses mots, l'avait détruite. Il les avait acceptées sans trop y penser. À trente ans, croit-il maintenant, on ne se rend pas tout à fait compte de ses gestes. Il oublie qu'il n'a pas tellement changé, qu'il n'est pas devenu un mari attentif. Esther lui en fait souvent le reproche.

Que pouvait-il faire de ces lettres ? Les garder lui était apparu comme ridicule. D'autant qu'il s'apprêtait alors à emménager avec Esther. L'épisode Sarah était terminé. Des années plus tard, il voit des poubelles combles un peu en retrait dans une ruelle. C'est à cet endroit précis qu'il a jadis enfoui les lettres que lui avait remises Sarah. Il s'en souvient clairement, un ruban rouge les entourait.

David vit avec Esther une relation calme et sereine. Elle est artiste peintre, expose à un rythme régulier, ses croûtes se vendent relativement bien, le printemps prochain elle aura droit à la cimaise dans une galerie cotée de Boston. Esther est facile à vivre, elle s'isole volontiers, mais n'en veut pas pour autant à David des espaces de liberté que leur union lui enlève. Pour David, la vie s'est arrêtée. Le bonheur, ou ce qui en tient lieu, il croit le posséder. Pourquoi s'énerver puisque de toute manière tout finira par un arrêt des fonctions vitales ? Il se croit en santé, aime se divertir avec autant de ferveur qu'à l'adolescence. C'est-à-dire calmement, à son rythme, lorsque le travail ne conduit plus sa vie. La présence d'Esther à ses côtés lui est un baume. Il ne l'a jamais trompée ni n'a envisagé de le faire.

Non, mais ce qu'il a pu écrire, à cette Sarah ! Une fille compliquée qui refusait parfois de lui parler ou de le voir pour se ressourcer, c'était le mot qu'elle employait, et qui réclamait de lui des lettres à tout propos. « Écris-moi que tu m'aimes, dis-moi que je suis belle, que tu ne peux imaginer vivre sans moi ! » Il lui avait répété son amour pendant des mois. Puis, à mesure que faiblissait son attachement, il était devenu plus discret. Quand elle lui avait déclaré qu'elle ne l'aimait plus, il avait reçu son aveu comme une libération.

Il y a quelques années, il a trouvé dans un livre un billet qu'il a jadis envoyé à Sarah. Comment ce message avait-il abouti entre les pages d'un roman policier ? Il avait dû prêter ce roman de Patricia Highsmith à Sarah qui le lui avait rendu en oubliant d'enlever le bristol qui lui servait de signet. Plusieurs années plus tard, ces mots qui sur le coup lui avaient semblé évidents — c'était à l'époque où il envisageait de finir ses jours avec elle — devenaient si étranges qu'ils paraissaient avoir été écrits par un aliéné. N'était-il pas l'auteur de ces mots délirants : « Mon amour, je ne vivais pas avant de te connaître. Tu m'as souvent ouvert des avenues que je ne soupçonnais pas. Chaque fois que je te vois, c'est une illumination. Quand je suis privé de ta présence, je t'imagine dans toute ta chaleureuse splendeur. Je préférerais mourir plutôt que de vivre sans toi. » Des sottises certes, mais lui qui s'était allègrement débarrassé jadis d'une centaine de lettres de la même encre gardait cette note dans un coffret qui lui servait pour remiser des documents bancaires ou légaux. Esther n'était pas du genre à fureter dans ses papiers personnels. De cela, il ne pouvait douter.

Comment peut-il imaginer que cet après-midi même Esther a ouvert son coffret et qu'elle a pris connaissance du billet ? Elle a téléphoné au bureau. David était occupé à recevoir un client important, lui avait déclaré Sharon, la secrétaire un peu bizarre que son mari a engagée sûrement à cause de ses seins. Refaits, les seins, elle en est convaincue. Pareil à tous les hommes, David ne s'est même pas posé la question. Sharon est accueillante, elle sourit, fait du charme. Un atout dans la sphère d'activité de David, l'import-export. L'autre jour, un homme d'affaires israélien l'a invitée dans un grand restaurant. David était occupé, tant pis, il fallait à Esther le nom de la paroisse où il avait été baptisé. Un renseignement indispensable qu'il avait omis de fournir dans sa demande de certificat de naissance. Comme elle désirait se rendre cet après-midi même aux bureaux de l'État civil, elle a cru qu'elle pouvait se permettre cette indélicatesse. David ne s'apercevrait de rien.

Elle était donc tombée sur une carte non datée que son mari avait rangée plusieurs années plus tôt. Elle n'a pas remarqué que le bristol avait un peu jauni. À vrai dire assez peu. Elle était trop bouleversée pour s'en aviser. David avait donc une liaison. Une liaison sérieuse puisqu'il avait écrit ces mots incriminants. Lui, si froid. Avec qui ? Sharon ? Elle était trop idiote pour que David s'en amourache. Quoique tout était possible.

David n'est pas porté sur les débordements. La passion, pas son affaire. Elle en sait quelque chose. C'est pourtant lui qui a écrit ces mots. Elle reconnaît sa calligraphie, sa façon d'arrondir les points sur les « i », ses « t » jamais barrés. À qui les a-t-il destinés, ces aveux enflammés ? Ces derniers temps, il est souvent rentré tard. Et, c'est vrai, il ne parle plus du voyage qu'ils doivent faire à l'été. Pendant des mois, il lui a cassé les pieds avec son projet de séjour dans les îles grecques, une destination qui ne l'emballe pas, elle.

S'il ne souhaite plus tellement partir, c'est peut-être qu'il veut demeurer auprès de cette femme. Esther remet la carte à sa place entre une police d'assurances et une obligation. Elle n'ira pas aux bureaux de l'État civil aujourd'hui. Tant pis pour le passeport de David. Elle appelle Thomas, un ami peintre qui, de toute évidence, ne détesterait pas avoir une petite aventure avec elle. Longtemps, elle a fait semblant de ne s'apercevoir de rien, mais elle sait qu'il la désire. De son côté, elle le trouve pas mal du tout avec sa chevelure abondante et son sourire en coin.

Sur la table de cuisine, David trouve une note. Esther ne rentrera pas pour le dîner. Curieux, pense-t-il, ce matin elle ne lui a parlé de rien. Elle n'est pas sortie sans lui le soir depuis des lustres. Un contrat, une invitation à un vernissage ? Elle, si bavarde d'habitude. Comment a-t-elle pu lui cacher cette sortie? Aurait-elle un amant? Il se pose la question sans paniquer, comme s'il se demandait si sa femme songe à acheter un nouveau chevalet ou si elle envisage d'encadrer différemment ses dernières toiles.

Il se met à souhaiter qu'Esther ne soit pas amoureuse. Pas tellement par jalousie. Il l'aime trop pour lui souhaiter pareil malheur. Elle est sa cadette de sept ans, elle a bien le droit de connaître des extases qu'il ne lui procure peut-être pas, mais il craint qu'elle ne souffre. « Je ne suis même pas jaloux. Je ne me sens pas menacé. J'aime profondément ma femme. Je ne crains plus de la perdre, mais je ne voudrais pas qu'elle se retrouve dans une histoire compliquée. »

David se fait réchauffer un restant de sauté de veau. Il se sent bien. Il est seul, rien ne l'empêche d'écouter un peu de musique. Esther préfère prendre les repas sans accompagnement musical. Il a placé dans son lecteur un CD de Stan Getz, période brésilienne. Esther n'aime pas beaucoup. Il se sent si bien qu'il se met à souhaiter qu'elle sorte plus souvent. Elle aurait des amies. Surtout pas de ces passions qui vous détruisent. Elle mérite tellement mieux. Que ferait-elle des lettres que lui aurait envoyées un homme dans son genre ? Les lui remettrait-elle à la façon de Sarah, une fois l'aventure terminée ? Dans quel état la retrouverait-il à supposer qu'elle lui revienne ? Stan Getz. Esther a pris la mouche la dernière fois qu'il l'a priée d'écouter avec attention le solo merveilleux, selon lui, d'*Otra Vez.* Il avait chantonné le refrain en même temps que jouait le saxophoniste. Il fera une autre tentative ce soir. Elle rentrera d'un instant à l'autre, il le sent. Esther n'est pas Sarah, elle a une trop haute idée de l'amour. David a devant les yeux une toile d'un certain Thomas. Son patronyme, il n'arrive pas à le déchiffrer. Esther lui prédit un bel avenir. Elle s'y connaît d'habitude. Mais pourquoi Sarah tenait-elle tant à ce qu'il lui écrive ?

La main tendue

Si je devais mendier, la crainte d'importuner autrui, de lui infliger le spectacle de ma déchéance, m'imposerait d'aller me poster en un coin de la ville où nul ne passerait.

CHARLES JULIET, *Ténèbres en terre froide*

Je n'ai pas parlé à Luc depuis au moins trois ans. Mon fils ne veut plus me voir depuis que nous nous sommes séparés, sa mère et moi. M'en a-t-il voulu de la manière dont je me suis alors comporté avec Jeanne ? Cela est tout à fait possible. Pourtant, il n'a pas non plus donné signe de vie à sa mère. Elle m'en a informé hier. Nous nous revoyons à l'occasion. Des rencontres plutôt tristes. Comme si nous souhaitions que la vie se soit arrêtée plusieurs années plus tôt.

Je ne crois pas avoir été un mauvais mari. Ni un bon. Nous nous disputions comme il est normal. Tout considéré, il me semblait que nous connaissions des moments de sérénité. Jeanne affectait d'avoir oublié quelques fredaines que j'avais commises naguère. Qu'en était-il vraiment ? Je ne saurai jamais. Quand j'aborde le sujet avec elle, je me bute à un silence obstiné. De toute manière, Jeanne n'est pas femme à se répandre en récriminations. Le râleur, c'est moi. La dernière année de notre vie de couple, Luc s'est rapproché de sa mère. Je m'en félicitais. Il me battait froid, quelle importance ? Je m'en apercevais à peine. À l'adolescence, il nous avait causé quelques problèmes. Rien de grave, certes. Mais notre tranquillité avait été menacée. Il n'était pas rare qu'il nous annonce sa décision de partir en cavale. Parfois, il découchait. Jeanne s'en faisait un drame. Puis, il y avait eu les étourdissements de plus en plus fréquents de Jeanne, le verdict des médecins. Elle souffrait d'arythmie. Même si son médecin lui conseillait de modérer ses activités, elle faisait la sourde oreille, les multipliant plutôt. Déjà directrice d'une petite maison d'édition, elle s'était mise à s'intéresser à une troupe de théâtre dont elle organisait les tournées. Un jour, elle a rencontré Jack, comédien dont elle est tombée amoureuse. C'est un peu vers cette époque que Luc est parti. Sans prévenir. Même pas une petite note.

Son départ, je l'ai ressenti au début comme une libération. Cette jeune personne, mon fils, m'apparaissait alors comme la cause de la défection de Jeanne. C'était lui qui avait fait entrer la barbarie dans un univers jusqu'alors douillet, rassurant. Je ne voulais que penser à Jeanne. Je m'accordais des heures de réflexion, je négligeais mon travail, j'espérais toujours qu'elle me reviendrait. J'avais tort. Lorsque tout a été terminé avec Jack, elle a préféré vivre seule. Quand nous déjeunons ensemble, je suis frappé par la clarté de son regard, son calme. J'aurai donc été l'obstacle qui l'empêchait d'atteindre à cette sérénité. Puisque je n'avais eu auparavant devant moi qu'une femme nerveuse, preste à prendre mouche à tout moment.

Au début, Luc a vécu avec une réalisatrice de télévision. C'est Malik, un de ses amis, qui me l'a appris. Je n'ai pas été autrement étonné, ne l'avais-je pas aperçu au hasard d'un zapping commentant des livres et des spectacles de musique pop ? Je n'avais jamais vu Luc un livre à la main, mais ce qu'il disait n'était pas plus bête que ce qu'on raconte habituellement au petit écran. J'avais même été ébahi par son aplomb. Il devait se retenir chaque soir de ne pas démolir une pièce ou de ne pas se moquer d'un roman un peu nunuche. Comment faisait-il, lui si irascible, si intransigeant ? Je ne tentais pas de lui donner signe de vie. Il en était de même pour sa mère. Par l'entremise de Jack, elle aurait pu chercher à l'atteindre, elle n'en avait rien fait. Nous étions trop orgueilleux tous les deux pour faire le premier geste. Quant à moi, il y avait aussi la crainte. Que ne me dirait-il pas ? Il m'avait déjà traité de tous les noms. J'étais un salaud, un égoïste, j'avais été un mauvais père, un mari pitoyable.

J'étais là, devant mon poste, surpris par le savoir-faire qu'il n'avait pas complètement. Puis, en fin de saison, je ne l'ai plus revu. À la station, où j'ai fini par téléphoner, on m'a répondu qu'on n'avait plus trace de lui. Son contrat n'avait pas été renouvelé. On me recommandait de m'adresser à son syndicat. J'ai appris qu'il n'était plus membre en règle. J'avais commencé à être un père inquiet, je me suis énervé. Une bonne vingtaine d'appels n'ont rien donné. Mon fils avait disparu.

Je suis bien forcé de l'admettre, je ne pensais plus tellement à lui lorsque Émile, le concierge de l'immeuble, m'a dit qu'il l'avait aperçu à l'entrée, près des casiers postaux. Il ne pouvait se tromper, il le connaissait depuis longtemps. De la conversation qu'ils avaient échangée, il ne se souvenait de rien. Tout juste m'avait-il rapporté qu'il était vêtu d'un jeans délavé et d'un tee-shirt défraîchi. « Je n'ai pas dit ça pour vous inquiéter », avait précisé Émile. Ne pouvait-il pas s'agir d'une tenue volontairement négligée ? Luc n'a jamais été attiré par les fringues. Sauf quand il paraissait à la télé, évidemment. Non, croyait Émile, il était évident qu'il était désemparé. Peut-être avait-il été tenté de sonner à ma porte ? Je l'aurais accueilli à bras ouverts. Je l'aurais dépanné au besoin. Il aurait même pu revenir vivre avec moi. Tant pis pour Maryse, qui partage parfois mon lit et qui ne l'aurait pas accepté. Elle n'est qu'un intermède dans ma vie. Elle l'oublie trop souvent.

Il y a bien un mois que j'ai signalé à Émile que le robinet de la salle de bains fuit. Il n'a pas paru me prendre au sérieux, a même blagué. J'aurais pu m'en formaliser. J'ai préféré oublier l'incident. Je me suis presque habitué à voir fuir ce robinet. Pourquoi a-t-il fallu qu'aujourd'hui, 25 février, alors que je dois impérativement remettre un document urgent, il vienne m'importuner ? J'ai eu beau lui dire en souriant que je m'accommodais très bien de l'état de la tuyauterie de notre immeuble décati, il a insisté.

— J'en aurai pour une dizaine de minutes.

Je connais les approximations d'Émile. Il sera encore ici dans deux heures. Il sait tout faire, mais à son rythme. Et surtout, il est bavard.

— Vous allez voir, ce sera vite fait. Bien fait. Les plombiers, j'ai pas confiance.

— Je n'en doute absolument pas, Émile. Pour commencer, vous prendrez bien quelque chose ? Une bière ? Un verre de vin ?

— Non merci. Jamais quand je travaille.

Il me regarde étrangement, se touche le menton, fait :

— Je ne vous ai pas tout dit, l'autre jour. À propos de Luc. Ce n'est pas en bas de l'immeuble que je l'ai vu.

— Ah non ? Mais où alors ?

Émile a rencontré Luc à la porte d'un grand magasin de la rue Sainte-Catherine. Après quelques hésitations, il finit par m'apprendre que mon fils mendiait. J'essaie de me faire croire qu'il se livrait alors à une expérience pour un reportage. Peut-être était-il entré au service d'un journal ? On lui aurait demandé une enquête sur les sans-abri. Pas du tout, répond Émile. Luc était assis sur un coussin, un chien à ses côtés. D'une saleté étonnante, tous les deux. Il se souvient tout à coup que Luc était recouvert d'une mante plutôt crasseuse.

— Vous ne vous êtes pas trompé ? Peut-être était-ce quelqu'un qui lui ressemble ?

— Je lui ai parlé. Il a même pris de vos nouvelles.

Je me demande ce qui me pousse à lui demander :

— On lui donnait beaucoup d'argent ?

— Je ne sais pas. J'ai voulu lui laisser deux dollars, il a refusé.

— Que vous a-t-il dit de moi ?

— Que vous n'étiez pas un mauvais diable au fond. Il ne vous en voulait pas. Il m'a demandé si vous travailliez toujours aussi fort. Je lui ai répondu que je n'en savais rien, mais que vous ne sortiez pratiquement pas de votre appartement. Il n'a pas insisté.

Émile me fait face, son coffre à outils à ses pieds. Il a de plus en plus son accent du Lac-Saint-Jean, il parle très vite, escamote les fins de phrases. Pour une fois, je l'écoute avec attention. Si je ne me retenais pas, j'insisterais pour qu'il oublie ce satané robinet et qu'il vienne s'asseoir au living.

— Il vous a dit depuis combien de temps il vit ainsi, depuis combien de temps il mendie ?

— Non. Je ne lui ai pas parlé tellement longtemps, vous savez. Je ne voulais pas lui faire perdre d'argent. Quand on voyait que je lui parlais, on ne s'arrêtait pas. Et puis, j'étais mal à l'aise. Je l'ai connu tout petit, ce garçon-là. Je ne vous ai pas fait trop de mal, au moins ? Je ne savais pas si je devais vous en parler, c'est ma femme qui m'a poussé. Vous savez comment elles sont, toujours à se mêler de ce qui ne les regarde pas. Elle aimait bien votre Luc, elle le trouvait si gentil.

En catastrophe, je laisse le pauvre Émile qui aurait bien d'autres confidences à me faire à propos de sa femme. Je prétexte un appel urgent. C'est un peu vrai, je vais appeler Jeanne. Mais elle est peut-être au courant déjà. Luc, mon fils, faire la manche au centre-ville ! Luc pour qui nous avions imaginé, Jeanne et moi, le meilleur des avenirs. Les bons collèges, les voyages culturels, les abonnements aux concerts symphoniques, tout ce qui aurait dû former l'univers d'un enfant dont les parents ne connaissent pas de problèmes financiers. Un enfant de bonne famille, quoi ! Bizarre tout de même, la bonne famille, avec un père absent et une mère nettement fantasque, mais enfin, une famille.

— Il va falloir changer le robinet au complet, m'apprend Émile qui vient d'apparaître dans l'embrasure de la porte de mon bureau. Il a sûrement annoncé sa venue, je ne l'ai pas entendu.

Comme je ne réponds rien, il répète sa phrase, ajoute d'un air contrit :

— Il ne faut pas vous en faire. Votre gars a voulu tenter une expérience. Les jeunes sont comme ça. Ma petite nièce…

Je ne l'écoute plus. Émile s'en aperçoit, rebrousse chemin en racontant qu'il reviendra demain ou la semaine prochaine. Non, mais Luc qui mendie ! S'il le fait, ce n'est pas pour tenter une expérience. Je le connais trop. Et s'il était désespéré ? Si cet expédient était sa dernière ressource ? Les expériences, ce sont plutôt les parents qui les tentent. Jeanne et moi, par exemple, qui avons joué au jeu de la famille. Elle pas plus douée que moi pour ce genre d'aventure. Elle n'a jamais supporté les obligations. Et moi donc ?

C'est peut-être moi que Luc attend les jours où il tend la main devant des passants distraits. Je sais que je n'irai jamais à lui. J'ai trop peur. Je me suis déjà mal conduit à son égard. Il ne peut me donner l'absolution pour l'indifférence que je lui ai manifestée au moment où il avait le plus besoin de moi. Comment oublier les injures qu'il m'a lancées à la figure la veille de son départ de la maison ?

Si je l'apercevais au détour d'une rue, je crois bien que

je m'enfuirais. Et s'il se mettait à courir après moi, si, me rattrapant et me voyant éclater en sanglots, il m'embrassait, que ferais-je sinon mendier à mon tour, quémander un pardon auquel je n'arriverais jamais à croire.

Émile revient en chantonnant. Que me veut-il cette fois ? Je pensais pourtant m'en être débarrassé pour quelques jours.

— Faut pas vous en faire. Remplacer un robinet, ce n'est pas compliqué. J'en ai changé un pas plus tard que la semaine dernière. Vous savez, la vieille Anglaise de l'étage en dessous. Celle qui a un petit chien.

— Dites-moi Émile, il était devant quel magasin exactement ? Vous vous souvenez ?

Les enfants jouent

Aucun doute, le bruit l'empêchait de travailler. Ces enfants n'arrêteraient-ils donc jamais de crier ? Seize mois qu'il séchait sur le même début de roman. À ce jour, Louis avait publié trois nouvelles de science-fiction dans des revues à faible tirage. Ses revenus pour l'année en cours, à peine deux mille dollars. Quatre chèques provenant de l'assurance-emploi encaissés dès réception. Au début de leur mariage, sa femme Micheline l'avait soutenu de toutes ses forces. Elle avait alors vingt-sept ans, deux ans de moins que lui, et occupait un poste de secrétaire dans une caisse populaire de la région. Combien de fois ne lui avait-il pas expliqué son projet ? Avec force détails, insistant sur le côté fantastique de l'aventure. Il s'agissait ni plus ni moins que de raconter l'histoire du Québec en la saupoudrant de monstres à l'allure inquiétante. Micheline en était émerveillée. Trois ans qu'il avait quitté son poste d'instituteur dans un quartier périphérique pour devenir écrivain à plein temps. À l'entendre, deux ans lui suffiraient pour mener son projet à terme. À aucun moment elle n'avait douté des chances de réussite de l'entreprise. Elle était amoureuse et sa naïveté, à peu près complète. Il faut dire que Louis était convaincant. Elle aimait qu'il lui raconte l'intrigue du roman qu'il avait en tête, qu'il la tienne au courant du développement de l'entreprise. Il en était à Montréal. La ville était traversée de part en part, des bêtes mystérieuses s'infiltraient à l'intérieur des égouts, assaillant femmes, vieillards et enfants. Jusqu'au jour où apparaissait un sauveur. De Montréal l'action se transportait à Québec où régnait une épidémie d'une violence inconnue jusqu'alors. Louis imaginait déjà des adaptations cinématographiques. Ils vivraient à l'aise grâce à la force de son imaginaire. « Mais je ne suis pas pressé, je ne signerai pas n'importe quel contrat », disait-il en se versant un café pendant que Micheline l'écoutait en silence.

Mais le temps filait. Depuis la décision de Louis, Micheline avait été licenciée, on lui avait préféré une lointaine parente de l'administrateur de la caisse. Après quelques semaines d'hésitation, elle avait publié dans le journal du coin une petite annonce ainsi libellée : « Jeune femme garderait enfants de moins de dix ans cinq jours par semaine. Références fournies. » Louis s'était moqué puis, devant l'accueil qu'on avait fait à l'offre de service de sa femme, il avait bien dû admettre que l'idée n'était pas mauvaise. Il avait vu arriver trois mioches au début, puis quatre, puis cinq. En cet après-midi d'octobre alors qu'il n'a pas réussi à écrire une seule ligne depuis trois heures, le nombre est de six. Des enfants qui jouent à des jeux de plus en plus bruyants, qui piaillent, qui pleurent ou éclatent de rire à tout moment.

Vers quatorze heures, la maison est calme, les petits font la sieste. Louis n'a jamais tellement aimé les enfants, Micheline non plus, au reste. Si elle a choisi de s'entourer de cette meute, c'est par amour pour lui. Il en est persuadé. Ce silence, tout à coup ! Cela le change du tintamarre du déjeuner. On n'entend plus alors que la voix de Micheline qui régente à qui mieux mieux un troupeau de bêtes hurlantes. Louis en a surtout contre un petit blond, Éric, qui ne peut s'extérioriser qu'en poussant des cris perçants. D'habitude, Louis prend un sandwich à la sauvette dans son bureau même. Pas question qu'il se joigne à ce cirque. « Tu pourrais m'aider », dit parfois Micheline sans paraître y attacher trop d'importance. Ces derniers temps, elle s'est un peu affadie. Pas étonnant, elle ne sort pratiquement pas de la maison, porte toujours les mêmes jeans trop serrés aux hanches. Avec quel argent se procurerait-elle de nouveaux vêtements ? Et quand les porterait-elle ? Ils ne sont pas allés au restaurant depuis plus d'un an. Et dans une rôtisserie bas de gamme de surcroît. Quand le dernier enfant quitte la maison, vers six heures, elle est complètement vannée. Elle se verse un jus d'orange pendant que Luc, affalé sur le divan, se plaint des difficultés affrontées pendant la journée. Son manuscrit n'avance plus, il a raturé une dizaine de pages, en a déchiré une vingtaine d'autres. Il ne révèle jamais à Micheline qu'il n'a rien fait ce jour-là, qu'il a rêvassé ou dessiné des petits bonshommes qui lui rappellent son enfance. À vrai dire, il s'est mis à craindre les réactions de Micheline. Si elle se lassait tout à coup d'être la seule à faire marcher le ménage, qu'arriverait-il de son projet? Il y croit encore, à ses chimères. Encore un peu. Ce rêve abandonné, que ferait-il, de toute manière? Retourner à l'enseignement, pas question. Au fond, que lui apporte la vie? Sinon cette faculté qu'il a d'écrire? Un jour, il trouvera le filon. Sinon, que lui reste-t-il? Son amour pour Micheline n'est plus ce qu'il était. Micheline, ce n'est pas n'importe qui, mais est-ce suffisant pour un homme qui a senti qu'un destin fabuleux s'offrait à lui? Après sept ans de vie en commun, il se demande parfois où s'en est allée la passion qu'il a jadis ressentie pour elle. Il ne lui arrive jamais de s'interroger sur le bien-fondé de la retraite qu'il s'est aménagée afin de poursuivre son rêve. Depuis qu'il a pris l'habitude de se terrer dans son antre, « ma tour d'ivoire », dit-il en bombant le torse un peu sottement, il est de moins en moins disponible. Au début, il en ressortait rapidement comme s'il avait souhaité tout partager avec elle. À ces moments-là, il était intarissable, les découvertes s'ajoutaient aux trouvailles, il inventait péripétie sur péripétie. Il écrivait alors avec une facilité déconcertante, noircissant au moins une trentaine de pages par jour. Au bout de six mois de ce régime, il avait devant lui un manuscrit de plus de huit cents pages. Sa femme l'encourageait. Tout baignait. Puis il y avait eu le licenciement de Micheline. Il avait dû lui remonter le moral, lui dire qu'elle réussirait à trouver un autre emploi. Des huit cents pages, il n'était rien resté. Deux éditeurs avaient refusé son manuscrit, l'un distraitement, l'autre de façon grossière. Louis ne savait pas encore qu'il ne sert à rien d'accumuler des pages dont on ne maîtrise pas l'écriture. Il s'était amusé à divaguer, à laisser errer son imagination comme si un dieu protecteur était chargé de réviser son travail. Ces refus des éditeurs lui avaient fait perdre sa fougue, son assurance. Désormais, le doute le possédait. Lorsque Micheline avait accueilli ses premiers pensionnaires, Louis tenait enfin une explication à son manque de discipline, à son entrain défaillant. Les petites recrues de Micheline le dérangeaient, elles l'empêchaient de devenir un véritable écrivain. Pas question d'en toucher mot à sa femme. Elle prendrait mouche, la douce Micheline.

Le vendredi soir, Micheline fait les courses de la semaine dans un hypermarché des environs. Elle rentre, justement. Louis l'aide à transporter les sacs de papier kraft, réussit à laisser échapper un carton de lait. Le liquide se répand sur le carrelage de la cuisine. Micheline maugrée. Il lui crie de ne pas s'énerver. Pas de doute, elle est à cran. Qu'elle se débrouille toute seule alors ! Il se place devant le téléviseur, ne l'allume pas. Micheline continue de ranger les victuailles. Le congélateur est plein. Pas étonnant avec toutes ces bouches qu'il faut nourrir ! Selon lui, Micheline gave trop les enfants dont elle s'occupe. D'habitude, elle réplique qu'elle a consulté une diététicienne et qu'elle suit ses recommandations à la lettre. Ce soir, elle referme les portes de l'armoire un peu trop bruyamment à son goût. Qu'est-ce qui lui prend ? Une attaque de nerfs assurément. Elle est ainsi, Micheline, elle peut être charmante, une soie, puis crac, c'est la tempête. Il oublie qu'il est lui-même d'une rare inconstance, passant du blanc au noir en moins de deux. Tout à l'heure, il s'est senti humilié de sa maladresse. Laisser tomber ce carton alors qu'il avait les mains presque libres ! Il avait la tête ailleurs, une fois de plus, la tête à l'inventeur inquiétant qui vient de faire son entrée dans le roman, toujours le même, qu'il écrit depuis tant de mois.

Micheline ne le rejoint pas. À la cuisine, elle tourne les pages d'un magazine qu'elle vient d'acheter au centre commercial. *Paris-Match* ou *L'Express*, il ne sait plus. Micheline n'ouvre jamais un livre. Son truc, c'est le cinéma. Au début, il l'accompagnait en salle, maintenant il ne se dérange même plus. Il a décidé que le cinéma actuel ne vaut pas tripette et que, de toute manière, il vaut mieux louer des vidéocassettes. Ce qu'il fait rarement du reste, préférant pester contre la télé. La semaine dernière, il a envoyé un courriel au *Devoir* pour protester contre le langage utilisé dans les médias. Dans un bel élan d'exaspération, il a comparé la situation culturelle du Québec à un Sahara. Publiera-t-on son manifeste ? Déjà deux fois que des communications de ce genre sont restées inédites.

Il se produit aussi que Louis n'est pas plus perspicace dans la vie de tous les jours que dans la création littéraire. Il ne s'aperçoit pas que Micheline a changé, qu'elle ne supporte plus aussi aisément ses lubies. Elle ne demande pas aux enfants dont elle a la charge de baisser le ton, elle s'ingénie plutôt à leur proposer des jeux plus bruyants. Il n'a pas noté non plus qu'elle ajoute dorénavant un peu de vodka au jus d'orange qu'elle se verse en soirée. Le vendredi soir surtout. Parfois, elle a même la voix légèrement pâteuse. S'il n'était pas si renfermé, s'il ne s'occupait pas presque exclusivement de sa marotte, Louis verrait que sa femme ne lui adresse plus de sourires, qu'elle ne le câline jamais.

Elle vient justement de lui dire quelque chose. Il ne l'a pas entendue. Elle répète :

— Il va quand même falloir que tu te trouves du travail. J'ai ma claque. Nous devrons vendre la maison si ça continue. Tu sais combien j'ai gagné cette semaine ? Trois cent trente-trois dollars. Tu n'as sûrement pas remarqué que j'ai plus d'enfants autour de moi ? Et tu n'as pas retenu, j'en suis sûre, que leurs parents me doivent des paiements. Tu ne sais pas évidemment qu'il y a une grève à l'usine de la ville voisine, que plusieurs parents sont à sec. Des détails pour toi !

Elle le rejoint au séjour. Il lui semble qu'elle sent l'alcool, mais il ne le jurerait pas.

— Louis, je n'en peux plus, fait-elle en s'approchant de lui.

Elle s'assoit à ses côtés. Pas de doute maintenant, elle empeste la vodka.

« Tu as bu », lui dit-il sur un ton accusateur. Lui qui ne prend qu'une bière le samedi soir en regardant le hockey à la télévision. Dans sa famille, on ne buvait pas. Il a même une peur bleue de l'alcool, qu'il associe à toutes les dépravations.

— Mais oui, figure-toi, je bois.

Elle s'éloigne de lui. Elle aura bientôt vidé son verre, se lèvera pour s'en verser un autre. Il lui dit qu'elle exagère, elle ne répond pas. Du coup, Louis se sent menacé. Pour lui, de l'inédit. Depuis toujours, il considère Micheline comme une alliée indéfectible. L'amoureuse qu'elle a été, il la regrette à peine. Puisque ce qui compte, c'est ce roman qui finira bien par voir le jour, à compte d'auteur ou non. Ce roman, il le croit fermement, le propulsera au rang des écrivains importants. Après tout, il œuvre dans un domaine que peu d'auteurs québécois fréquentent. On apprendra ce dont il est capable. Mais ne voilà-t-il pas que la toujours dévouée Micheline donne des signes d'énervement. Si elle se mettait à lui compliquer sérieusement la vie ! Si elle imitait Jacqueline, la femme de Jean, un ami, qui a fiché le camp avec un vaurien vaguement producteur de spectacles ? Un alcoolique mythomane alors que Jean est haut fonctionnaire à Ottawa, à dix ans de la retraite et si gentil en plus. Les femmes ont de ces caprices. Elles ne cessent de rechercher l'amour alors que l'amour, qu'est-ce que c'est ? Des semaines de passion puis des habitudes, des tics.

— Mais qu'est-ce qui ne va pas ? commence-t-il sur le ton doucereux qu'il adoptait avec ses élèves et qui lui sert aux moments de détresse.

Micheline ne paraît pas émue. Au contraire, les traits durcis tout à coup, une moue haineuse se dessine. Ces derniers mois, sa femme s'est transformée. Il n'a rien vu. Et puis ce ventre qui pointe, légèrement, il est vrai, elle si svelte naguère. Elle boit trop, mange à la hâte, trop de pain, des sucreries, fréquemment dérangée par les demandes des enfants. Les aime-t-elle, maintenant, ces enfants ? Il est sûr que non, elle a trop de sautes d'humeur, crie de plus en plus fréquemment. La douceur s'en est allée lentement.

— Il me prend que je n'en peux plus. Ça ne peut continuer ainsi. J'ai besoin de vacances.

— Nous prendrons des vacances dès que j'en aurai terminé avec mon roman. Donne-moi encore six mois.

— Ton roman ? La belle affaire ! Tu ne le finiras jamais. Déjà trois ans que j'attends. Je n'y crois plus. Plus du tout. Comment peux-tu t'illusionner à ce point ? Et même terminée, qu'est-ce qui te dit qu'on en voudra, de ton épopée ? Ce que j'en ai lu, mais oui je sais lire, ce que j'en ai lu ne m'a pas impressionnée. Rien ne prouve qu'un éditeur l'acceptera. Les refus, ça te connaît, après tout.

— Tu as lu mon roman ? Tu m'espionnes maintenant ? C'est du propre !

— Tu n'avais qu'à ne pas laisser traîner ton manuscrit. Parce qu'il m'arrive de faire le ménage, figure-toi. En général pendant que tu roupilles au salon. Pour ne pas te déranger. Parce que je ne promène pas mon plumeau pendant que tu « crées », pour employer ton langage. Au début, je n'osais pas, je me disais que je n'avais pas le droit de le regarder, ton chef-d'œuvre. Mais puisque tu ne me montrais plus rien, que tu ne me parlais plus de rien, je me suis persuadée que je méritais bien de savoir pourquoi je trimais comme une folle pendant que tu jouais à l'écrivain. C'est une merde, ton truc, du vent, rien, tu m'entends. Pas besoin d'être très futé pour s'apercevoir que ton histoire ne tient pas le coup. C'est tout simple, mon coco, ta Micheline que tu aimes tant t'intime de retourner enseigner, de faire n'importe quoi, mais de rapporter un peu d'argent à la maison parce qu'elle en a assez, la petite, plus qu'assez. Surtout qu'elle a constaté que depuis deux mois tu n'as pas ajouté une ligne à ton manuscrit. Mais à quoi passes-tu tes journées ? Tu regardes les oiseaux du jardin ou quoi ? À partir de la semaine prochaine, je mets fin à ma petite garderie qui me pompe l'air depuis déjà quelque temps.

Elle vide son verre d'un trait. Il se lève, se dirige vers le réfrigérateur. Tiens, le congélateur fonctionne mal. De l'eau s'en échappe. Rien d'étonnant à cela, ce frigo doit bien avoir trente ans. Il l'a acheté d'occasion l'an dernier. Il prend une bière, la décapsule d'un coup de poignet, saisit un verre dans l'armoire qu'il aurait dû repeindre depuis au moins deux ans.

— Et si je te promets que dans trois mois je mets le point final à mon roman, qu'est-ce que tu en dis ?

Elle se tait, puis laisse tomber à voix basse :

— Je ne te crois pas. Et tu sais pourquoi ? Tu as trop peur d'affronter la réalité. Tu préfères reporter l'échéance. Te bercer d'illusions, les nourrir jour après jour, voilà ton genre. Apporter ton manuscrit à un éditeur, tu craindrais trop sa réaction. Déjà deux refus. Il est plus facile pour toi de vivre avec un frêle espoir. Dans ton bureau, là-haut, tu es en sécurité. Je ne suis même plus tentée de te dire de te secouer un peu, de réagir. Tu en es incapable.

Il vient à un cheveu de lui dire qu'elle a raison, d'admettre qu'il a perdu trois ans de sa vie pour une chimère, mais il se tait. S'il avoue qu'il s'est trompé, ne perdra-t-il pas à tout jamais la complicité de Micheline ? Il a besoin de sa présence. Si elle imitait Jacqueline, si elle lui annonçait qu'elle part pour toujours, il serait effondré. Il lui semble tout à coup que l'orage s'apaise, que Micheline devient plus raisonnable. Il fera une partie du chemin, il lui promettra d'entreprendre des démarches dès la semaine prochaine auprès de la commission scolaire de la région. Il retournera à l'enseignement même si ce métier lui pèse. Il lui restera toujours un peu de temps à consacrer à son manuscrit ou à une autre histoire qu'il saura bien inventer.

— Je vais me remettre à enseigner, annonce-t-il sur un ton qu'il souhaite convaincant.

Le téléphone sonne. Micheline fait un mouvement, se ravise.

— À cette heure-ci, c'est ta mère.

Tous les vendredis soir, la vieille rapplique. Elle n'a rien à dire qui n'ait à voir avec l'état de sa santé toujours chancelante, à l'entendre, et la désintégration accélérée des mœurs. De temps à autre, elle réclame un peu d'argent. Louis a même déjà soutiré vingt dollars du porte-billets de Micheline pour les lui envoyer.

— Je t'appelle, mon Louis, parce que tu ne me donnes jamais signe de vie.

« Mais quand passera-t-elle l'arme à gauche, cette chipie », pense Micheline en se versant un verre de jus d'orange. Sans vodka, cette fois.

— Je sais que je t'ennuie, mais que veux-tu, c'est si terrible de vieillir. Et toi, qu'est-ce que tu fais ? À part écrire évidemment. Tu as toujours aimé ça, écrire. Moi, tu ne me le demandes pas, je ne fais rien, j'ai trop mal aux jambes pour me lever de mon fauteuil. Et Micheline, comment est-elle ?

Louis répond qu'elle est bien, qu'ils iront peut-être à la mer l'été prochain.

Une scène de bar

Je ne fréquente pas tellement les bars. Depuis que Sylviane est partie, je m'y rends parfois en fin de soirée. J'ai choisi celui qui est tout à côté de mon appartement. Par commodité. Il n'est pas très calme, on y entend toujours en sourdine une musique particulièrement idiote. Madeleine aime bien les airs à la mode. Elle sert dans ce bar depuis au moins dix ans. Elle me l'a raconté un soir où, à cause de la neige qui tombait en rafales, la salle était vide. Madeleine a dû être une jolie fille. Elle a des rides émouvantes. Je ne détesterais pas avoir une aventure avec elle. Je me retiens comme ça. Elle répète sans cesse qu'elle en a fini avec les hommes. Alors, je n'insiste pas. D'autant que je n'ai pas intérêt à brusquer les choses. Puisqu'elle m'a à la bonne. La dernière consommation, je ne la paie pas depuis trois mois. Elle a alors un drôle d'air. Elle affirme que le patron a l'âme généreuse. Je l'ai vu une seule fois, celui-là.

Une sorte de mafioso qui pourrait très bien faire la traite des blanches ou le trafic de la coke. Je crois qu'elle a vécu quelques mois avec lui. Un jour, elle me racontera tout cela dans le détail. Elle me prend pour confident. Surtout quand pour elle les choses vont mal.

Je ne déteste pas les épanchements. Sans travail depuis un an, je passe mes journées à regarder la télé. À vrai dire, je m'installe devant le poste et je ne l'allume même pas. Je ne cesse pas de penser à Sylviane. Qu'est-ce qui l'a poussée à s'enfuir avec ce Bulgare ? Qu'il soit pianiste de concert, je veux bien, mais Sylviane ne saurait même pas distinguer Bach de Mozart. Elle n'écoute que les tubes du moment. Un peu comme Madeleine. Je me repasse en mémoire le film de notre dernière rencontre. Elle m'avait donné rendez-vous dans un Burger King. Elle devait juger que je ne valais pas mieux. Au fond, je la comprends. Je n'ai jamais réussi à l'impressionner. Si, au début, quand j'ai hérité. Ma mère est morte à soixante ans, me laissant une cinquantaine de milliers de dollars. Que j'ai flambés en moins d'un an. Avec elle. Nous allions dans les meilleurs restaurants, je lui ai fait connaître la côte californienne. Au retour de San Francisco, les choses ont commencé à se gâter. Par ma faute. Je devenais impatient. Elle me donnait sur les nerfs avec ses plaintes continuelles. Elle en avait contre le Québec, notre appartement, les hommes en général, mais surtout ma personne. À l'entendre, je n'étais qu'un flanc-mou, un mollasson qui ne faisait rien de ses journées. Elle, alors ? Sa principale occupation consistait à faire le tour des salles d'attente des médecins. Elle se dévêtait plus devant les docteurs que devant moi. Une malade imaginaire, voilà ce qu'elle était. Et pas commode avec ça, ne souriant jamais. Depuis qu'elle est avec son Bulgare, elle resplendit. Plus de maux à l'estomac, plus de moues boudeuses.

Le Burger King, donc. Une fin d'après-midi, une salle bourrée. Nous avons devant nous deux gobelets de mauvais café. Le sien plein à rebord, le mien déjà vide. Je suis partagé entre le désir d'aller m'en chercher un autre et la crainte qu'elle n'en profite pour s'envoler. Je me suis déjà brûlé les lèvres en avalant une lavasse indicible, mais j'en redemande. Mon genre.

— Tu sais, je ne pensais pas que tu viendrais, dit-elle au bout d'un moment.

— Pourquoi donc ?

— Je croyais que tu m'en voulais.

Bien sûr que je lui en voulais. Elle était partie sans me laisser un mot. Au bout de plusieurs mois, cet appel que je n'espérais plus. Tellement que j'ai cru un moment qu'elle regrettait son geste et qu'elle me prierait de la reprendre. J'aurais accepté. Je suis on ne peut plus conciliant. Seul, je m'ennuie. Madeleine l'a bien vu.

— Tu ne t'attendais tout de même pas à ce que je t'envoie des fleurs ?

Elle rit. Pour la première fois depuis longtemps, je la déride. Quand on réussit à faire rire une femme, rien n'est perdu. J'ajoute que son Burger King est sordide. Ce n'est pas son avis.

— Tu ne comprends pas. Tu sais pourquoi je ris ?

— Non, je ne vois pas.

— Tu ne m'as jamais offert de fleurs. J'aurais pourtant aimé en recevoir de temps à autre. Mais ce n'est pas grave. Surtout maintenant. J'ai tenu à te voir pour te rassurer. Je veux que tu saches que Petar est un être très délicat et qu'il est aux petits soins avec moi. Ta Sylviane est heureuse.

Comment peut-elle dire « ta » Sylviane sans rire ? Avec elle, mieux vaut ne pas se poser trop de questions. Elle est heureuse, toujours ça de pris.

— Il fait très bien à manger. Un vrai chef. Comme je ne suis pas très experte en la matière, tu en as fait l'expérience, j'apprécie. Nous partons pour Londres la semaine prochaine. Il donne des *master classes* en Écosse à l'automne. J'ai voulu te prévenir. Pour te rassurer.

Elle veut me rassurer. Tant mieux. Elle sait que j'ai toujours eu l'intention de renouer avec elle. Je suis de ceux qui n'oublient jamais. On ne vit pas deux ans avec une femme sans en être imprégné. Qu'elle soit ou non hypocondriaque, qu'elle soit ou non bêcheuse, voilà qui ne change rien au fond. Je me suis passé sans trop de difficulté de faire l'amour avec elle, elle était trop fantasque à mon goût, s'extasiant à n'en plus finir sur son corps, ses seins surtout. Non, si je m'ennuie de quelque chose, c'est de sa voix. Une voix de gorge presque vulgaire. J'aimais l'entendre prononcer mon prénom. Michel, c'est un peu trop convenu à mon sens, mais quand elle se penchait sur moi en murmurant « Michou » ou « Michael », j'en perdais la tête. D'autant que Sylviane parle très mal l'anglais et que son « Michael » semblait prononcé par une Parisienne ou plutôt une Niçoise. J'aime bien l'exotisme, et puis Sylviane n'a pas une diction très châtiée et elle jure volontiers.

— Tu me laisseras ton adresse ? Tes adresses plutôt.

— Si tu veux. Mais je te connais, tu ne m'écriras pas. Moi, je t'écrirai. Les premiers jours, nous habiterons à l'hôtel. Nous passerons quelques jours à Londres avant de gagner Glasgow. Si je t'écris, tu me répondras ?

— Peux-tu en douter ?

À la vérité, je n'en ai nulle envie. Rien ne me rend aussi triste que les départs. Je n'aime pas l'inconnu. Elle veut voir le monde, découvrir des horizons, qu'elle parte ! Je m'efforcerai d'effacer son souvenir. Le travail du deuil sera long. Je me connais. Je m'attache aux gens.

— C'était réussi, le concert l'autre soir.

J'ai cru lire que son Petar a donné un concert à la Place des Arts. Entièrement consacré à Schubert. Elle rectifie. C'est dans une salle plus modeste qu'il s'est exécuté. Un récital, pas un concert.

— Réussi pour les critiques, tu as raison. Mais Petar était mécontent. C'est un perfectionniste. Il croit qu'il a raté son coup. Il n'en a pas dormi pendant une semaine.

— Je ne te connaissais pas tant d'intérêt pour la musique.

— Que veux-tu, on change.

— Qu'est-ce que vous faites quand il ne dort pas, quand il en a contre ses performances ?

— Ça dépend.

— Vous faites l'amour, peut-être ? Ou il chantonne en regardant ses partitions ? A-t-il toujours la note juste ? Pas quand il fait l'amour, ça ne me regarde pas, après tout.

C'est fou ce que je peux être bête quand je m'y mets. Je déteste ce Bulgare, lui et tous les pianistes du monde. Sylviane me regarde comme si j'étais vraiment un pauvre type. Elle a raison.

— Mais non, Michel, tu n'y es pas. Quand il n'arrive pas à dormir, Petar se lève et fait des mots croisés. Parfois, je le retrouve et nous farfouillons dans un dico à la recherche d'un mot.

Elle se paie ma tête. Je ne déteste pas. Tout sauf la solitude. Surtout celle que j'expérimente depuis des mois. Elle se lève, dit qu'elle doit faire des courses. Une valise à acheter. Pour me rendre intéressant, je lui signale un solde à la maroquinerie à deux pas de son Burger King. Trop cher, proclame-t-elle. Il me semblait pourtant que le Bulgare empochait de bons cachets. Elle n'avait pas les mêmes scrupules à Beverley Hills, quand je me comportais comme un riche héritier.

— Donc, si je t'écris, tu me répondras ?

Dommage, prétend-elle, que je ne sois pas branché sur Internet. Elle m'enverrait des courriels. À l'insu du Bulgare ? Probablement pas. Elle lui dit tout. Alors, si ça se trouvait, je serais abreuvé de détails insipides sur la carrière du virtuose, elle me reproduirait des comptes rendus délirants. Non, merci, pas pour moi.

C'est à ce moment que, voulant lui toucher le bras, je heurte son gobelet. Heureusement, le café était tiède. Tant pis pour la blouse blanche ! Elle est furax.

Le bar est maintenant plein à craquer. Du jamais vu en semaine, assure Madeleine. Cette fébrilité lui convient. Elle sourit comme jamais, s'active. Quand elle sourit, elle est presque belle. Elle vient de se pencher devant moi pour prendre des glaçons. J'ai détourné le regard à cause de ses seins. L'air de rien, elle m'a tendu un scotch. Un Chivas. J'aime bien être l'invité du patron. Que dirait-il s'il l'apprenait ? Au chômage, la Madeleine. Pourquoi court-elle ce risque ? Ai-je l'air si désargenté ? Pourtant non, il me semble, le costume que je porte est encore convenable. Elle doit avoir l'intuition de ma débine. Elles sont souvent comme ça, les femmes. Sylviane a toujours su lire dans mes pensées. Elle devinait tout. Presque tout.

Qu'est-ce qui m'a pris de boire si rapidement ? Mon verre est déjà vide. Madeleine s'en est aperçue. Elle a l'œil. Un autre scotch. Du Johnnie Walker carte noire, cette fois. Est-ce cette deuxième consommation offerte qui me porte à lui demander si elle ne viendrait pas chez moi après le travail ? Elle me répond que ce soir elle ne peut vraiment pas, elle est épuisée, mais que demain elle a congé.

Avec le résultat qu'elle est allongée nue à mes côtés. J'ai gardé mon haut de pyjama. J'ai froid. Je dois avoir l'air plutôt ridicule. Mais le chauffage est si inadéquat dans mon immeuble. Madeleine a de beaux seins. Pas son avis. Elle m'a dit tout à l'heure que j'étais bien fait. Curieusement, j'en ai ressenti de la tristesse. J'ai automatiquement pensé à Sylviane qui trouvait que je ressemblais à un acteur américain dont j'ai oublié le nom. L'amour, ça s'est déroulé tant bien que mal. Je ne suis pas un homme des premières fois. D'autant que Madeleine a la manie de rire à tout moment. J'aurais préféré qu'elle se taise. Des cris, je veux bien. Je suis comme tous les mâles, ils me donnent sur le coup l'impression d'être irrésistible. Le côté idiot de la masculinité, j'imagine. Pourtant, je crains toujours que les femmes n'en remettent pour me faire croire que je suis un amant hors de pair. Elle fume une cigarette. Une Dunhill, la marque de Sylviane quand nous arpentions le nord de la Californie. Madeleine me parle de son ex. Un des. C'est lui qui a obtenu la garde des enfants. Deux filles qui ont maintenant sept et neuf ans. Elle admet tous les torts.

Elle a abandonné mari et enfants lors de ce qu'elle appelle « sa dépression ».

— J'étais comme folle. J'étais amoureuse de Normand. Tu l'as sûrement vu, il vient souvent au bar, toujours à parler avec le nain.

Si je le connais ! Il a tenté deux fois de m'entraîner dans une partie de poker. Impossible d'être plus déplaisant. Comment Madeleine a-t-elle pu le suivre ?

— Je ne sais pas ce qui m'a pris. Faut dire que mon ex n'était pas un cadeau non plus. Radin comme dix. Il gardait toutes mes payes, mes pourboires. Un vrai mac. Il s'est aperçu que je dissimulais une partie de mes revenus, il m'a foutu une raclée. Un vrai mac, je te le dis. Les putes qui viennent au bar ne connaissent pas pire. Deux semaines à rester à la maison à cause d'un œil au beurre noir. Il m'a juré qu'il ne recommencerait plus, je ne l'ai pas cru. Tant pis pour les petites. C'est du moins ce que je me suis dit. Elles finiraient bien par me pardonner. C'est presque fait. Elles vivent chez ma mère. Lui, aux dernières nouvelles, il était à Trois-Rivières. Ça ne m'intéresse plus de le savoir. Toi non plus, mon trésor, tu dors.

Je ne dors pas, j'ai tout simplement fermé les yeux à cause de la lampe dont les rayons sont dirigés vers moi. Elle me croit. Pauvre Madeleine, une fille que je pourrais exploiter si j'en avais le désir. Mais ce n'est pas dans ma nature, j'aime trop les femmes pour me conduire ainsi avec elles. Je l'embrasse dans le cou. Elle me remercie d'un sourire.

— Faut me pardonner. Il me semble toujours que j'ennuie les gens.

Je l'enserre. Peut-être acceptera-t-elle de faire l'amour de nouveau ? Ces derniers mois, j'ai été plutôt chaste. Le téléphone, tout à coup. Il peut toujours sonner ! Pourtant non, j'attends un appel d'un copain. Mario veut que je place un peu d'argent dans une affaire. Une affaire sûre. Je n'ai pas un clou, mais en grattant un peu, je peux tout de même trouver cinq mille dollars. Il jure qu'il me remettra le double dans trois mois. Je ne m'explique pas mon raisonnement, mais j'ai eu confiance. Mario est un petit escroc, mais cette fois il ne ment pas.

— Michel, c'est moi.

La voix de Sylviane. Elle ajoute : « C'est moi, mon petit chéri. » Je suis toujours son petit chéri même si nous avons rompu depuis longtemps.

— Qu'est-ce que tu faisais ?

— Rien de bien spécial.

Mes réponses sont brèves, je ne veux pas chagriner Madeleine. Elle s'est levée. Son long corps nu me fait de plus en plus envie. Elle est maintenant réfugiée dans la salle de bains. Je parle bas pour ne pas la heurter. Pourquoi a-t-il fallu que Sylviane me téléphone ce soir ?

— Tu as trouvé du travail ?

— Je n'ai pas tellement cherché.

— Moi, je ne fais rien. J'ai eu mal au dos ces derniers temps. D'après les médecins, je fais un peu d'arthrite. Petar travaille comme un obsédé. Il donne un récital tout Schumann le mois prochain. Moi, je te l'ai dit, je ne fais rien. Mais toi ? Ça ne va pas, je le sens à ta voix. Tu traverses un mauvais moment. Je voudrais tellement que les choses aillent bien pour toi. Promets-moi que tu feras des efforts, quand tu reviendras à la vie normale.

La vie normale ! Sylviane a de ces expressions. Je promets n'importe quoi. Bien sûr, je ferai l'impossible. Je le dis sans conviction. Elle le sent. Cette femme s'est toujours prise pour ma mère.

— Allez, soigne-toi bien, je te rappellerai dans un mois. Puisque tu ne m'écris pas.

Je veux lui dire qu'il n'est pas question que je me soigne puisque je ne suis pas malade. Je préfère me taire. Madeleine a passé le peignoir accroché près de la douche. Je me crois obligé de lui dire que c'est mon ex qui a téléphoné.

— Je ne savais pas que tu avais été marié.

— Je ne me suis jamais marié, mais c'était tout comme.

— Tu en as de la chance. Mon mari n'a rien fait pour me retenir. Tu lui as dit que tu n'étais pas seul ?

— Elle ne me l'a pas demandé.

— Tu lui as dit que nous avions fait l'amour ?

— Elle ne me l'a pas demandé non plus.

Madeleine desserre les cordons du peignoir, se dirige vers le lit. Nous parlerons jusqu'au petit matin. Cette femme m'apaise. Ses filles sont plutôt jolies, surtout la cadette. Elle se prénomme Zoé. D'après Madeleine, elle ressemble plutôt à son père. Je lui ai dit que je rencontrerais volontiers ses enfants. Je louerai une auto dimanche prochain, nous irons les visiter à Québec. Madeleine doit faire l'achat d'un matelas. Je m'offre à l'accompagner. Elle accepte. Elle ne sera probablement jamais l'amour de ma vie, mais c'est une chic fille. Un peu comme Sylviane au fond. Je n'attire que ce genre de femmes. Mais pourquoi acheter un matelas ? Si elle vivait avec moi dorénavant ? Nous pourrions essayer. Quelques jours et puis nous verrions.

Un licenciement

Daniel n'a jamais voulu se donner des allures de patron. Il est pourtant à la tête d'une petite entreprise d'import-export. Sa photo a paru à quelques reprises dans la presse spécialisée. La première fois, il s'en souvient, c'était à la suite d'un coup réalisé en Europe de l'Est. À l'époque, les Nord-Américains se montraient réticents à pénétrer ce marché. Il avait osé à la suite d'un pari. Un journaliste, inexpérimenté il est vrai, avait même écrit qu'il était un exemple pour « nos hommes d'affaires souvent trop timides ». Daniel, qui n'est pas particulièrement imbu de lui-même, a pourtant cru pendant quelques jours qu'il était véritablement un modèle à suivre.

Ce matin, il a un mal de tête d'une violence inouïe. Il a songé à rentrer à la maison avant le déjeuner. Dans une interview donnée à la télévision hier, il a affirmé que pour réussir en affaires, il faut oser, toujours oser. L'animateur n'a pas perdu de temps. « Vous en êtes la parfaite illustration », a-t-il commenté d'une voix sirupeuse. « Un homme de vision », tel était le titre du volet de l'émission qui lui était consacré. Mais que signifie cette migraine soudaine ? Depuis cinq ans, il ne boit plus d'alcool, à peine un peu de vin au repas. L'appel de son ex tout à l'heure ne justifie pas cette douleur au front. Elle l'a pris à partie à propos d'une paire de chaussures qu'elle a achetée pour leur fils. Elle n'a qu'à lui faire parvenir la facture, la gourde, depuis quand refuse-t-il de payer sa part même s'il la soupçonne de gonfler certaines dépenses ? Son fils n'est pas bien fringué peut-être, il ne va pas dans la meilleure école privée de l'île, il ne passe pas ses vacances dans les auberges de jeunesse les plus huppées ? Il a raccroché nerveusement. Une fois de plus, il s'est comporté en rustre. Il l'admet. Il admet tout. Mélanie en fera une histoire. Encore une fois. Tant pis pour elle. Comme s'il avait le temps de s'occuper de ces niaiseries. Aujourd'hui surtout.

Il a décidé de se séparer de son adjoint principal. À vrai dire, il n'a pas le choix. Non que Pierre ne soit pas compétent, ses vingt années d'expérience au service de l'entreprise témoignent du contraire, mais il doit s'en débarrasser. Il n'est plus l'homme de la situation. Mais il y a pire. Daniel ne peut plus le supporter. Pourquoi au juste ? Cela dépend des jours. Ces temps-ci, il en a contre le physique même de son collaborateur. Sa calvitie l'énerve. Il suffit que Pierre se penche pour lacer sa chaussure. Il suffit qu'il se passe la main sur le crâne dans un geste purement mécanique pour replacer une chevelure inexistante. Quand Daniel a sous les yeux cette boule dénudée sur laquelle subsistent de minuscules touffes de cheveux, il se sent irrité au plus haut point.

Il faut donc qu'il s'en débarrasse. À deux ou trois reprises, il lui a suggéré de tenter sa chance ailleurs, lui rappelant que des chasseurs de têtes se livraient dans le milieu à un féroce travail de prospection, qu'ils offraient parfois des avantages salariaux fabuleux, l'autre ne bougeait pas, apparemment heureux de son poste subalterne.

Mais comment se servir de son autorité quand à cinquante ans il n'est pas encore parvenu à jouer, ne serait-ce qu'une fois, la carte de la sévérité ? Avec Mélanie, d'accord. C'est l'exaspération qui lui sert de moteur. Mais avec Pierre, cette bonne pâte à qui il ne peut rien reprocher de sérieux, sauf qu'il lui donne sur les nerfs, il est impuissant. D'autant qu'il n'est pas peu fier de ses attitudes magnanimes. N'a-t-il pas affirmé au petit écran, hier justement, qu'être patron, c'est ne jamais élever la voix ? Avec ses employés, il est plutôt généreux. Dès le premier jour, il insiste pour que ces derniers le tutoient. Il dit à qui veut l'entendre : « Il faut un patron ici, c'est donc moi, mais ce pourrait être vous. » Il répète ce leitmotiv aux secrétaires, aux analystes, aux coursiers. Ses clients français n'en reviennent pas de ses méthodes dites « à l'américaine ».

Dès que Pierre est entré dans son bureau en disant : « Tu veux me voir ? », Daniel s'est senti faiblir. Comment lui annoncer sa décision ? Après tout, Pierre est à la tête d'une famille, cinq enfants, quelle sottise tout de même, mais enfin il a d'énormes responsabilités, sa femme est hystérique, l'un de ses fils est fugueur, et quoi encore ?

— Oui, je veux te voir. Il me semble que nous ne nous sommes pas tellement parlé, ces derniers temps. J'ai consulté ton dossier, tu sais que dans un mois tu auras complété vingt ans au service de la boîte.

— Le 19 mai précisément. J'en parlais à Sylvie hier soir. La compagnie a tellement changé depuis ce temps. Tu te souviens, au début, notre bureau c'était ton sous-sol à Candiac. Ta femme trouvait que tu accaparais trop le téléphone. En passant, tu as de ses nouvelles ? Nous étions jeunes. Je n'avais pas cette tête-là !

Il se frotte le crâne. Le geste à ne pas faire. D'autant qu'il semble à Daniel que la peau en est plus luisante que d'habitude. Si seulement Pierre pouvait se taire. Mais non, il est intarissable.

— Tu te souviens des crayons que nous avions importés de Taiwan, des bardeaux d'asphalte qu'on ne nous a jamais payés, du papier...

— Écoute, commence Daniel, je ne veux pas te blesser, mais ce matin, je n'ai pas tellement de temps à moi. D'autant plus que ce que j'ai à te dire n'est pas agréable.

Il s'arrête tout à coup. Comment aller jusqu'au bout devant cet âne qui s'imagine sûrement que son avenir est assuré et qui ne manquera pas d'évoquer leur complicité passée ? D'ailleurs, Pierre ne raconte plus que des souvenirs. Son présent n'a aucun intérêt. Tant d'années se sont écoulées depuis son dernier bon coup. Cinq, six ? Encore que l'affaire du Nicaragua qui avait paru intéressante au premier abord se soit terminée de façon plutôt lamentable. Deux faillites, un cas d'escroquerie patente qu'il n'a pas vu venir au cours de la dernière année. Non, il faut passer à l'acte.

— J'espère que tu ne le prendras pas en mauvaise part, mais il n'est plus souhaitable que tu restes avec nous.

La situation de la compagnie ne cesse pas d'évoluer, la boîte a grossi, je dois songer à l'avenir, je m'absente de plus en plus pour des voyages à l'étranger, je…

Daniel a baissé les yeux. Il les rouvre. Plutôt que d'avoir à affronter un visage blêmi, il voit le sourire de Pierre.

— Je ne suis pas un goujat, tu le sais. Je vais te verser une prime de licenciement. Généreuse. Georges va te rencontrer quand tu le voudras. Il n'est pas comptable pour rien, il va te proposer des modalités de versement intéressantes. Tout coûte tellement cher. Si tu le souhaites, il peut même t'indiquer le nom de personnes-ressources. Il connaît des tas de gens.

Pierre se lève. Va-t-il éclater en pleurs ? Mais non, il sourit. Le plus simplement du monde, il dépose le gobelet de café qu'il tenait dans ses mains dans la corbeille à papier, puis revient s'asseoir. Il n'a pas cessé de sourire.

— Ta décision me surprend un peu, mais, aussi bien te le dire, elle m'arrange. Je ne savais pas comment t'annoncer ma décision. Je craignais de te faire de la peine. J'avais l'intention de quitter la compagnie à la fin de l'été.

— Mais qu'est-ce que tu feras ?

— Rien. Pour commencer, me reposer. Sylvie est épuisée. Nous allons voyager.

— Les enfants ?

— Ils se débrouillent maintenant. S'ils souhaitent venir avec nous, ils viendront. C'est tout simple. Nous avons peu de besoins. Tu le sais bien, tu m'as suffisamment taquiné à ce sujet. Pour dire les choses simplement, je me retire.

— À cinquante ans ?

— Je peux me le permettre.

Daniel voudrait bien dire à son collaborateur qu'il s'agit d'un canular, qu'il n'a jamais été question qu'il se sépare d'un complice de sa valeur, mais il sait que ce n'est pas possible. Il se sent isolé tout à coup. Comment pourra-t-il travailler désormais sans la présence de cet enquiquineur ? Pierre toujours dévoué, pas si bête après tout, pas un mauvais bougre vraiment. Et pour le remplacer par ce Simon, traficoteur sur les bords, bassement flatteur, pour tout dire un danger.

— Je t'ai surpris, hein ? fait celui qu'il avait craint d'humilier.

— Un peu, oui.

— Je n'en pouvais plus de cette vie, les tractations, les spéculations, tout le tralala. Je ne suis pas fait pour cette agitation, je m'en rends compte maintenant. Il était temps. Pas comme toi, il te faut de l'action, du mouvement. Même au point de vue sentimental, tu t'es marié trois fois, tu as multiplié les liaisons. Moi, ce n'est pas pareil. J'aime ma femme comme au premier jour. Je crois qu'elle m'aime, elle aussi. Mais qu'est-ce que tu as, tu as l'air tout drôle ? Pourtant je t'ai facilité les choses puisque je pars. Es-tu libre au déjeuner ? Un petit cassoulet, ça te dirait ? Il est vrai que tu es au régime, une fois de plus, que tu digères mal, trop de soucis, trop d'interrogations. Quel âge as-tu ? Cinquante-trois, méfie-toi, le cœur.

Il n'est pas question que Daniel déjeune avec cet homme trop bien dans sa peau. Il n'oublie pas qu'il a rendez-vous avec Carole qui lui parlera sûrement d'une croisière qu'il lui a promise l'an dernier tout en sachant qu'il n'a vraiment pas le pied marin et qu'il n'a pas l'intention de l'acquérir. Il demandera à sa secrétaire de la rappeler.

Elle lui dira qu'il a un contretemps. Il déjeunera avec elle demain ou après-demain. Pour l'heure, rentrer à l'appartement au plus tôt.

À quoi pensera-t-il ? Probablement à une femme avec laquelle il pourrait se retirer un jour. Laquelle ? Certes pas cette sotte de Carole que seule sa garde-robe intéresse. D'ailleurs, la retraite n'est pas son affaire. Son destin est celui d'un être torturé par le désir de bouger, le désir de réussir. Et même pas très riche après tant d'efforts. C'est pour cette raison que l'autre qui lui reproche de ne pas acquitter assez rapidement la facture d'une paire de chaussures pour son fils peut toujours aller se rhabiller.

Relâche

Chaque fois que je passe devant le Bellecour, je vois Rémi installé à la même table près de la fenêtre. Tous les midis en semaine, il déjeune dans ce bouchon lyonnais. Toujours seul. Il lit un journal la plupart du temps insignifiant. De temps à autre, il trempe ses lèvres dans un verre qui doit bien contenir du dry gin.

Rémi n'est plus très connu. Il y a une vingtaine d'années, son nom était de ceux qu'on évoquait le plus spontanément dès qu'il était question de théâtre québécois. Cet homme me fascine. Je suis journaliste. Journaliste, c'est beaucoup dire. Mettons que je subsiste en écrivant à droite et à gauche. L'an dernier, on m'a commandé un long article sur les vieux acteurs. Une idée qui en vaut bien d'autres. Je peux le dire d'autant plus librement que les sujets de chroniques ne me viennent pas facilement. Rémi a été de loin le plus fascinant des artistes que j'ai rencontrés. J'ai toujours été attiré par les vieux. Ce n'est pas ma faute, j'ai été élevé par mes grands-parents, ma mère étant plutôt cinglée. Très cinglée, même. Elle avait tenté de mettre le feu à notre logement. Mon père, je ne l'ai pas connu. À ce qu'il paraît, je n'ai rien perdu. Vivent-ils toujours ? Je ne sais pas.

Rémi, lui, est toujours de ce monde. Et j'ai décidé que je lui parlerais aujourd'hui. Après tout, il est clair qu'il s'ennuie. Il le répétait sans cesse pendant l'enquête. Se souvient-il seulement de moi ? Je n'aurai qu'à lui rappeler que je suis le maladroit qui a renversé un verre de rouge sur sa moquette. Du genre qui tache. Rémi n'a plus les moyens de se payer de grands crus. Il s'est tellement moqué de moi à la blague, pas du tout indisposé par ma balourdise. Peut-être se passerait-il de ma présence aujourd'hui, mais moi j'ai besoin de le voir. Aussi bien l'avouer tout net, ma petite amie vient de me quitter. Après trois ans, et presque sans avertissement. C'est la première fois qu'on me laisse. Je n'ai pas l'habitude. Je ne suis pas sorti de l'appartement de toute la semaine. Des jours entiers à pleurer comme un imbécile. Je ne vais pas pour autant lui raconter mes malheurs, il n'en à rien à cirer. Pourquoi risquer de l'indisposer ? Je ne me pose plus de question, il est temps d'ouvrir la porte du restaurant.

Je ne suis pas étonné que Rémi m'invite chez lui. Le Bellecour ne favorise pas tellement la conversation. Trop bruyant. Rémi est de cet avis. Je connais son appartement à cause de l'enquête. Il habite à la limite de Notre-Dame-de-Grâce et de Westmount. Son appartement est plus nu que le mien. La différence serait que ses meubles sont moins décatis que ceux que ma grand-mère m'a cédés à la mort de son mari. Je l'ai enterrée le mois dernier. Je n'ai pas été étonné parce qu'au resto il s'est tout de suite montré affable. Je craignais qu'il ne prenne des attitudes hautaines comme à certains moments du reportage. Bien sûr, il parlait un peu fort, en bombant le torse d'une façon presque comique et en surveillant ses dentales comme s'il récitait les *Fables* de La Fontaine ou un extrait de *Phèdre* devant une classe du Conservatoire. Il avait lu mon article dès sa parution, ne trouvait rien à y redire sauf qu'il estimait que j'aurais dû insister davantage sur le succès qu'il avait remporté dans *Le Misanthrope* et dans *L'École des femmes.* J'avais un peu exagéré, selon lui, la beauté de sa première femme, mais dans l'ensemble il lui semblait que j'avais bien travaillé. Surtout, il était clair que j'aimais les acteurs.

On est en décembre, il tombe une neige fine depuis le matin. Il est vêtu d'une canadienne trop chaude. « Je n'ai rien d'autre à me mettre, mon imper n'est pas fourré », me dit-il en m'invitant à m'asseoir sur un divan qui a dû avoir fière allure il y a trente ans.

— Tu prendras bien quelque chose ? J'ai du muscadet et du cahors.

— Un verre d'eau suffira.

Je suis ainsi, je n'accepte jamais du premier coup les offres qu'on me fait. Maude me l'a souvent reproché. Elle aurait aimé que je me laisse aller un peu plus. Elle s'est lassée de mes tergiversations.

— L'eau, c'est pour les grenouilles ! À moins que tu ne préfères le dry gin ? Non ? Alors, ce sera le cahors. Attention à ma moquette cependant ! Tant pis pour toi, tu n'avais qu'à ne pas venir me relancer au Bellecour !

Il a déposé sa canadienne sur une patère du genre de celle que grand-mère avait du temps où nous vivions à Longueuil. Il ouvre la bouteille avec la dextérité d'un garçon expérimenté. Les verres qu'il extirpe d'un buffet en faux acajou sont du plus pur cristal. Il m'explique qu'il les a achetés aux Galeries Lafayette lors d'une tournée, il y a une vingtaine d'années. Avec Rémi, tout s'est toujours passé il y a longtemps.

— Ma dernière grande tournée. Je ne le savais pas, évidemment. Je m'imaginais que tout continuerait comme avant. Ce voyage a dû me coûter quinze mille dollars, peut-être davantage. J'allais souvent au bar du Crillon, j'invitais des femmes au Pré Catelan, chez Lucas Carton. Tu l'ignores peut-être, quand on est jeune on ne sait rien, ces endroits sont les plus chers de Paris. Ce que j'ai pu être con ! Mais je ne regrette rien. J'ai vécu. Soixante-seize ans, bon pied, bon œil ! Le seul hic, c'est que dans le milieu, on ne le sait pas. La profession est envahie par des jeunes gens dans ton genre qui ne connaissent même pas l'abc du théâtre. Ils n'ont pas de mémoire, pas de culture, à peine un peu d'imagination. Tu sais, j'aurais pu avoir une carrière internationale, une vraie, pas une participation épisodique à une coproduction, ça aussi tu aurais pu en parler dans ton article. On m'a approché pour un rôle assez important dans un film de Belmondo, un autre de Lino Ventura. Je ne m'en suis pas occupé. Que veux-tu, j'étais amoureux. Toute ma vie, j'ai été amoureux. Ça, c'est bien fini. Quelle femme voudrait d'une vieille peau comme moi ? Regarde-moi, je craque de partout, mon visage c'est une suite de ravins. Dans le temps, j'étais plutôt beau gosse, alors…

Sur une étagère, trois trophées plaqués or, le métal en

est terni. Des photos un peu partout. Il a raison, il a été un bel homme. Même maintenant, il pourrait séduire. Il a saisi mon regard, hausse les épaules.

— Ça te fait rire, avoue-le! Que veux-tu, je suis vaniteux. Nous le sommes tous un peu, nous les comédiens. Le premier trophée, là, à gauche, j'y tiens. On me l'a remis en 1972 pour un rôle dans une création québécoise. L'auteur, je ne sais plus. Un petit merdeux qui n'a pas cessé de nous casser les pieds pendant les répétitions. Je crois qu'il écrit des séries dramatiques pour la télé. Il voulait que je parle comme un bûcheron. J'avais le metteur en scène de mon côté, je n'ai pas changé ma diction d'un iota. Il enrageait, l'imbécile. Bien avant la première, je ne lui adressais plus la parole. Imagine-toi que devant les réactions du public et de la critique, il a changé d'avis. Comme ça. Remarque que ce que j'appelle la critique, ça veut dire trois pleutres et deux poltrons. J'ai toujours joué comme je l'entendais. Les metteurs en scène, je les mettais dans ma poche. Je faisais du Rémi, toujours du Rémi, ça plaisait, je n'en demandais pas plus. Et toi, mon petit?

Que lui répondre? Je n'ai jamais aimé parler de moi. En présence d'un homme comme Rémi, je préfère écouter. Une attitude de prédateur, je le sais. Un jour peut-être, j'écrirai un roman dont il sera le personnage principal. Les êtres d'affirmation me fascinent. Je suis tellement timoré. Maude ferait probablement encore partie de ma vie si je n'étais pas si pusillanime. J'ai trente ans, et je n'ose pas encore entrer dans la vie. Je l'observe, la vie, à défaut de la vivre, je voudrais la traduire dans des livres. Même là, je suis craintif, je n'ose pas. Je me contente d'articles que je ne signe qu'à regret.

— Tu ne dis rien ? Tu collabores toujours à ton canard ?

— À l'occasion.

— Ça te permet de vivre ?

Je ne vais tout de même pas lui apprendre que mon compte en banque est à sec. Ça ne l'intéresserait pas. Et puis, je ne suis pas venu ici pour me plaindre.

— Plus ou moins. Il y a aussi les cours que je donne.

— Des cours, toi ? Comme moi, tiens. Je m'adresse à des anglophones qui veulent apprendre le français. Un comédien de ma trempe, en être rendu là ! Si ce n'était pas de ces fichus cours, je me demande bien ce que je ferais. Je ne pourrais pas prendre mes repas au restaurant en tout cas. Tu devrais voir mes élèves ! Des nouilles ! Et toi, tu enseignes quoi ?

— Le cinéma, deux heures par semaine.

— Le cinéma ! Elle est bonne, tu connais le cinéma, toi ? Tu en as fait ? Moi, j'ai tourné dans une vingtaine de films. Des navets, pour la plupart. J'ai tenu les plus belles actrices dans mes bras, je les ai vues à poil sans en être chaviré. Trop de monde sur le plateau, trop de gens qui s'énervent. Et puis les reprises interminables, les recommencements pour plaire au réalisateur, un maniaque pâmé devant *Les Cahiers du cinéma* ou pour satisfaire le producteur qui a exigé que sa maîtresse joue le premier rôle ! Mais qu'est-ce que tu leur racontes, à tes élèves ?

— Tout et rien. Je leur parle des grands films, j'explique l'écriture des scénarios, des dialogues. Ils m'écoutent sagement. J'ai l'impression d'être un peu imposteur. J'apprends en même temps qu'eux. Feront-ils carrière ? Peu probable. Parfois, je me prends au jeu, j'ai l'impression d'être un véritable animateur.

Rémi me jette un regard dont la chaleur m'étonne. Il veut me rassurer. Je ne déteste pas du tout qu'il me traite comme son fils. Bien au contraire. J'ai besoin de sa bienveillance.

— Mais tu es un véritable professeur puisqu'on t'écoute. Puisqu'on prend des notes quand tu parles. Cesse de douter de toi. C'est malsain. Tu devrais te rendre compte de la chance que tu as de t'adresser à un public et de retenir son attention. Moi, au début de ma carrière, j'étais tout étonné que des gens se déplacent pour nous applaudir, nous les comédiens. Qu'en plus, ils paient leur place. Puis, je me suis rendu compte qu'il était normal qu'on se taise pendant que nous parlions, normal aussi qu'on rie devant nos pitreries ou qu'on pleure si nous feignions de pleurer. Jouer, c'est toute la vie. Toute ma vie en tout cas. À force de mimer des passions que je n'avais pas, des douleurs que j'avais oubliées, je suis parvenu à ne plus savoir ce qui était vrai et ce qui relevait de l'imaginaire. À l'heure d'aujourd'hui, je pense que le théâtre est tout aussi vrai que la réalité. Parfois, quand tout va bien, on ne sait plus très bien si on a la migraine ou si c'est le personnage qu'on nous a chargé d'interpréter qui l'a. Et puis, tais-toi, vieille chose ! Ce que je te dis laisse supposer que je joue toujours. Alors que depuis cinq ans, je ne joue pas.

Rémi a voulu m'émouvoir. Il a réussi.

— On a repassé un de vos films hier soir à la télé. Une histoire d'héritage. *La Vieille Auberge,* vous vous souvenez ?

— Tu n'as pas regardé cette merde jusqu'au bout au moins ? Tu en as, du mérite. Tout ce que je me rappelle du tournage, c'est que le réalisateur n'a pas dessoûlé. La petite blonde, tu sais, celle qui me résiste jusqu'au bout, il se la tapait presque sous nos yeux. Excuse-moi, je deviens vulgaire. Les vieux sont toujours grotesques de toute façon.

Rémi remplit nos verres. Je n'avais pas remarqué que ses cheveux sont très minces et qu'ils sont d'un blanc jaunâtre que le soleil de cette fin d'après-midi fait briller. Il ne neige plus.

— Bien sûr, tu me trouves vieux. Si au moins je pouvais jouer, mais on ne m'appelle pas. Quand un comédien est sur une scène, il n'a pas d'âge. C'est bête, mais c'est au moment où je me sens en pleine possession de mes moyens qu'on m'oublie. Je te l'ai dit dans l'entrevue, il y a bien les trous de mémoire qui me font peur, mais pour le reste je n'ai aucune crainte. Et puis, quand j'oubliais mon texte, j'improvisais. Pas longtemps évidemment. On n'y voyait que du feu. Je pouvais leur en mettre plein la gueule, à ces enfoirés. Je parle des critiques. Je pouvais et je pourrais encore si seulement on m'en donnait la chance ! Mes classiques, je les connais. On m'a fait jouer Harpagon à quarante ans. C'est maintenant que je serais prêt. Tous les vieux sont avares. Avares de tout, de leur temps, de leur argent. Et *L'École des femmes*, alors ! Il y a tellement de détails qui m'ont échappé.

Cette scène, je la reverrai chaque fois que je songerai à Rémi. Combien d'années a-t-il encore à vivre ? Deux ou trois. Guère plus. Sa respiration devient rapidement haletante. Le cœur. Il disparaîtra, me laissant quelques souvenirs dérisoires. Pourtant, il me semble que nous aurions pu devenir amis si seulement l'écart des ans n'avait pas été si grand. Je serais bien prêt à passer outre à cette différence, mais lui, pas question. Il consent à me parler, mais au fond il ne s'adresse pas à moi. Il joue un de ses derniers rôles. Il n'est pas tout à fait disponible, il est en représentation. Je ne serai jamais à ses yeux que l'interviewer, celui qui pose des questions, celui qui n'a même pas commencé à vivre. Maude ne disait pas autre chose. Où est Maude, est-elle heureuse ? Je ne peux que me le demander. Ce n'est pas ma faute, je suis lent, je ne suis pas encore habitué à être un homme.

— Allez, le jeune, bois un coup, ça te fera grandir !

Il se lève d'un bond, fait une pirouette, danse un peu, chantonne un air qui doit venir d'une comédie musicale américaine et me jette un regard amusé.

— C'est du Fred Astaire. Toi, tu connais pas.

Je le rassure. Mais oui, je connais. J'ai même préparé quatre heures de cours sur lui. Il en est ébahi.

— Tu es moins con que je croyais. Salut, à ta santé !

Je ne sais pas encore que Maude a décidé d'aller vivre en Bolivie pour deux ans. Autrement, je n'aurais pas accepté que Rémi ouvre une deuxième bouteille.

Combien de temps déjà ?

C'était un temps où chaque rencontre avec des amis ouvrait des abîmes, et tantôt l'un d'entre nous, tantôt l'autre, survenait avec des révélations sensationnelles.

BORIS PASTERNAK, *Sauf-Conduit*

Je rentre d'un séjour en Italie. Jamais je n'aurais cru que tant de choses pussent se passer en six ans. Des couples se sont formés, d'autres se sont défaits. Melançon est mort d'apoplexie. Pas étonnant avec les quantités d'alcool qu'il ingurgitait. Tremblay a quitté Ginette pour un minet qui œuvre dans la haute couture. Malenfant fait de la politique. Lalonde songe à devenir moine.

Quand il a fallu penser à revenir au Québec, je me suis imaginé que les gens seraient demeurés au point où ils étaient quand je les ai laissés. Après tout, nous avions à peine dépassé la quarantaine. Nous étions à peu près tous résignés devant la bêtise de la vie. Finie l'époque où, réunis chez l'un ou chez l'autre, nous faisions de petites débauches d'idées et de marijuana. Un seul d'entre nous avait réussi à concrétiser ses rêves. Il avait prédit qu'il deviendrait dramaturge. Nous nous moquions gentiment de lui, mais la plupart du temps heureux des petits succès qu'il obtenait dans de minuscules théâtres d'avant-garde. Il parlait si mal, écrivait de même. Puis, sans que rien le laisse prévoir, on avait joué une de ses pièces dans un théâtre off-off Broadway. Un triomphe, surtout à Montréal. Nous avons peu vu Alexandre par la suite.

Quand je suis monté dans l'avion qui me mènerait à Rome, la plupart des amis me faisaient cortège. Même la sublime Jacynthe était présente, elle avec qui j'avais vécu trois mois d'enfer cinq ans auparavant. À la suite de je ne sais quelle aberration, j'avais tenté de joindre Alexandre. C'est plus fort que moi, je n'aime pas les abandons. Il n'était pas disponible, un travail à finir pour la télévision. Il mentait, je le savais.

À mon retour, qu'est-ce que j'apprenais? Alexandre était confiné dans une maison de repos. Sans le sou. Des troubles de la mémoire. On ne prononçait pas le mot d'Alzheimer sans baisser la voix, comme s'il s'était agi de la maladie la plus improbable qui ait pu frapper un esprit aussi agile que celui d'Alexandre. Que Thériault connût des ennuis de ce genre, on ne s'en serait pas étonné outre mesure. Adepte des drogues dures depuis la vingtaine, il avait plusieurs fois tenté de nous entraîner dans sa manie. En vain. Nous nous contentions de quelques lignes de coke, absorbées à très petites doses. Mais Alexandre, le timoré, était-ce possible ?

Je supporte mal l'atmosphère des hôpitaux. Je n'y pénètre qu'à reculons et j'en ressors aussi vite. Mais puisqu'il s'agissait d'Alexandre, il n'était pas question de tergiverser. Je m'incruste, je suis un fidèle parmi les fidèles. Je lui devais cette visite. D'autant que la maison de repos qu'on a choisie pour lui n'a rien de cet aspect carcéral que finissent souvent par prendre les centres hospitaliers.

Quand je me suis adressé tout à l'heure au vigile, il m'a communiqué sans hésiter le numéro de la chambre d'Alexandre. Je me serais attendu qu'il me demande de montrer patte blanche. Qui étais-je ? Qu'allais-je faire là ?

Un carton punaisé à la porte m'indique qu'il s'agit bien de sa chambre. Je n'ai plus qu'à toquer. Je me donne deux secondes de répit, histoire de me composer une attitude. Un coup discret. Tout à coup, l'espoir qu'il soit absent, retenu par une consultation médicale. Il est bien présent. « Entrez », dit une voix qui m'est familière. Plus faible, plus lente, il est vrai. Le visage n'a pas changé, toujours émacié. Alexandre me reconnaît, du moins à ce qu'il me semble.

Un lit, un fauteuil, deux chaises. Aux murs, trois reproductions bon marché de peintres de la Renaissance, dont une de Piero della Francesca. Je me souviens que Tremblay m'a dit qu'Alexandre a vécu quelques mois avec une mécène italienne rencontrée à un cocktail au Carlton de Lyon. Tremblay s'est énervé en évoquant l'existence de la signora Antonia, la bellissima signora Antonia del Litto, la très belle Vénitienne, un visage à l'ovale parfait, des yeux noisette, de longs cheveux teints blanc et une démarche de reine. Une pure merveille, insistait Tremblay. Je ne l'avais pas cru. Sa bellissima, je l'avais rencontrée à Rome, vulgaire, quémandant les baisemains de façon ridicule dans des réunions mondaines de second ordre. À Rome aussi, Alexandre avait feint d'être trop occupé. Comme si nous nous connaissions à peine. Mais Tremblay insistait tellement que je m'étais imaginé voir notre Alexandre vivant luxueusement dans un hôtel particulier proche de la piazza Navone, entouré de serviteurs et de cette longiligne beauté qui n'avait qu'à sonner pour qu'accoure une domesticité plus qu'attentive.

Quand je me mets à fantasmer, rien ne me retient. Alexandre dans ce décor ! Lui qui avait été élevé dans un coin reculé des Laurentides et dont la mère vivait toujours de l'assistance sociale. Il m'avait donc snobé bêtement. Il porte aujourd'hui un pull d'un bleu délavé, son pantalon est froissé. Rien d'étonnant. Il n'a jamais tellement soigné sa tenue vestimentaire. À l'entendre, le souci du vêtement était une préoccupation de bourgeois. Surtout à l'époque où il partageait son temps entre Montréal et New York. Il semble serein, d'un calme absolu. Les médicaments qu'il absorbe, sûrement. Le vrai Alexandre est nerveux, bourré de tics. On l'appelait notre Malraux. Et cette cigarette qu'il avait toujours au coin des lèvres, comme l'autre ! Il n'a pas tout à fait perdu son air gouailleur. Va-t-il me taquiner comme il le faisait si souvent ? Me reprocher mes indécisions, me rappeler que je ne serai jamais qu'un fonctionnaire au service des Affaires extérieures, prêt à servir quoi qu'il arrive un pays auquel je ne crois même pas.

— Qu'est-ce que tu fais ici ? me demande-t-il en souriant.

La voix est sourde, presque étouffée. Mais toujours le même rictus qui m'a parfois fait peur naguère. Un rictus vraiment ? Non, tout au plus un léger plissement des lèvres. Je réponds que je viens de rentrer au pays et que ma première pensée a été pour lui. C'est faux, évidemment. Si j'ai demandé à revenir à Montréal, c'est que je n'en pouvais plus d'être malheureux. Ma dernière liaison a mal tourné. Quelques semaines en compagnie d'une Américaine de la Nouvelle-Angleterre qui m'a rendu la vie impossible. Une petite blonde de Cape Cod qui jugeait tout à l'aune de son pays qu'elle adorait depuis les attentats des tours jumelles. Une parfaite idiote. Je m'en suis aperçu trop tard. Le temps de souffrir, le temps de piquer des colères hors de proportion. Si j'ai hâté mon retour, ce n'est pas à cause d'Alexandre, Jennifer en est responsable. Jennifer que je n'aurais jamais dû abandonner il y a six ans et dont je viens d'apprendre qu'elle s'est mariée le mois dernier avec un chirurgien. Ce que j'ai pu être stupide, fuir une femme que j'aimais pour suivre un plan de carrière ! Si encore j'en avais un. À Rome, je me suis ennuyé ferme. Les musées, les églises, les palaces, on est d'accord mais au bout d'un temps on a besoin d'une laideur bien nord-américaine. Et, pour finir, cette Shirley, cette peste de Shirley.

— Tu n'as pas assisté à la première de ma pièce, le mois passé. Ça m'a fait de la peine.

Pourtant, *Les Souliers roses de Mathilde*, c'était juste avant mon départ pour Rome. On n'a rien créé d'Alexandre depuis.

— La critique était enthousiaste, les comédiens n'en revenaient pas. Même Levasseur a été emballé. Lui, le pisse-vinaigre. Un chef-d'œuvre, voilà ce qu'il en a pensé.

Mais j'ai décidé de ne plus écrire, j'ai tout dit. Avec mes droits d'auteur, je n'ai plus qu'à me reposer. Parfois, je m'ennuie. J'aimerais bien passer mes journées en pyjama, mais on ne le supporte pas ici. C'est un collège après tout. Tu as déjà été pensionnaire, toi ? Moi, non. On insiste pour que je me change, que je sorte alentour, que je prenne l'air. Je ne pourrais pas aller très loin, on me surveille. La nourriture est bonne. Je prendrais bien un peu de vin, mais il n'y en a pas. À cause des jeunes.

Mon cher Alexandre se croit revenu au temps de son adolescence. Il ne s'aperçoit pas que les gens qu'il croise dans les corridors étroits du centre sont à peu près tous des vieillards. Que feraient ces têtes blanches dans un collège ? Que seraient-elles en mesure d'apprendre ? Et pourquoi, puisqu'elles ont à peine la force d'activer leur fauteuil roulant.

— Oui, un bon collège au fond, un bon collège.

Il s'arrête. Un silence qui me paraît interminable. Je ne tarderai pas à me rendre compte que les idées lui viennent en rafales, c'est un torrent de paroles, puis c'est l'absence totale. Je parle de Mignault qui vient d'acheter un appartement à Paris. Boulevard Edgar-Quinet, avec vue sur le cimetière Montparnasse. J'ajoute « comme Sartre ». Il ne réagit pas. Sartre, il le détestait. Mignault, il l'a bien connu, il lui a même soufflé sa petite amie à l'époque.

— Mignault, Mignault, connais pas.

Il réfléchit. Une petite panique. Comme s'il constatait l'inanité de son effort. Non, vraiment, il ne connaît pas.

— Lafrance est venu hier. Il n'a pas changé.

J'aimerais bien croire qu'Alexandre blague. Pourtant non, il ajoute que Lafrance lui a apporté une boîte de chocolats fins et du vin. La bouteille, ils l'ont bue avec du confit d'oie. Il me donne même le nom du château, le millésime, un bordeaux de grand prix. Le hic, c'est que Lafrance a péri dans un incendie à Tolède, il y a au moins dix ans.

— Il voudrait que je me remette à écrire. Pas question. Je me répéterais. Un jour, je partirai en voyage. Quand je serai plus vieux, quand j'aurai obtenu les diplômes dont j'ai besoin. Il faut savoir tellement de choses de nos jours. C'est pour cette raison que j'accepte d'être pensionnaire. Je dois étudier, ne jamais cesser d'étudier.

Il n'est pas question d'hésiter, il faut jouer le jeu à fond. Je fais comme si le grand échalas qui me fait face n'avait pas les cheveux gris, comme si nous avions encore quinze ans et que je lui faisais découvrir le théâtre de Pirandello.

— Les examens, ça se passe bien ?

— Ça dépend.

Un nouveau silence. Des rires en cascade dans le corridor. Des rires insolites. Je revois le visage de Jennifer. Nous sommes en vacances, du côté du lac Brome. Elle porte un chapeau-cloche qui lui donne un air si espiègle. Je ne sais comment lui annoncer mon désir de rompre.

— La semaine dernière, j'ai fait le tour de l'Estrie à vélo.

En mars, ce serait étonnant. D'autant qu'il est tombé ces jours-là plus de cinquante centimètres de neige, que les routes étaient fermées. À l'époque, Alexandre aimait beaucoup les canulars. J'ai souvent été victime des histoires qu'il imaginait à seule fin de se moquer de moi. Gentiment, bien sûr. Vantard, ridicule parfois, mais jamais méchant, tel était Alexandre. Il racontait des énormités, inventait les pires invraisemblances, ne révélait la vérité qu'au bout de quelques minutes, en explosant d'un rire bruyant. C'était avant la petite gloriole new-yorkaise, évidemment. Nous étions alors un groupe soudé. J'ai toujours été naïf, il en a profité. Le temps de la rigolade est bien terminé. Il a toujours son sourire en coin d'alors. À peine semble-t-il accablé à certains moments. Une tristesse profonde que je ne lui ai jamais connue marque ses traits.

— Qu'est-ce que tu fais de tes journées ? Tu as quand même le temps de lire.

Je viens d'apercevoir sur son lit un livre de Philip Roth. Il me fait répéter, puis se lance dans une explication abracadabrante dont il ressort qu'il a déjà été champion épéiste et qu'il aimerait bien renouer avec la compétition. Il lui faudrait un commanditaire, malheureusement il n'en trouve pas.

— Je n'ai pas d'épée. Ici, les rapières sont interdites. À cause des jeunes élèves. Les jeunes, ils n'ont pas toute leur tête. Je ne leur dis jamais, ça pourrait les blesser. Je les salue, sans insister.

Je me mets à penser à ces nuits où, avec Marie, Ghislaine et quelques autres, nous parlions de politique. Marie versait dans le féminisme à l'américaine, Melançon était maoïste, Alexandre optait faiblement pour le socialisme à la suédoise, Ghislaine aurait donné son âme pour l'émancipation du Québec. Moi, je n'ai jamais su. Ce qui ne m'empêchait pas de prendre plaisir à des discussions souvent âpres et qui ne s'éteignaient jamais dans la bonne entente. On venait souvent très près de rompre pour toujours. J'étais habile à faire parler les autres sans jamais prendre parti. « Tu finiras ambassadeur », disait Alexandre. Je revois une nuit bien précise où, vers les quatre heures du matin, et après que nous ayons éclusé deux bouteilles de Jack Daniel's, Gisèle qui n'avait pas tellement bu nous avait mis au défi de lui faire l'amour à tour de rôle. Je dis bien « nous », garçons et filles. Puisqu'il s'agissait de contrer à tout prix notre éducation catholique et petite-bourgeoise. Melançon s'était proposé le premier. Un succès, à ce qu'il nous a raconté par la suite. Arrive le tour d'Alexandre. Il tient à ce que l'exercice se déroule devant nous tous. Il se déshabille. Je me souviens d'un membre mou, de l'attitude moqueuse de Clémence, une prof de philo que nous avait amenée Tremblay. Comment expliquer que Gisèle se soit mise soudainement à insulter Alexandre, lui criant qu'il n'était qu'un salaud et que son théâtre était aussi bas que lui ? Que lui avait-il chuchoté à l'oreille ? Nous ne l'avons jamais su. J'avais escorté Gisèle jusqu'à une station de taxi. Pourquoi ai-je gardé le souvenir de cette nuit ratée alors que tant d'autres se sont déroulées dans une sorte d'allégresse dont je n'ai plus jamais retrouvé trace ? Nous n'avions pas trente ans, la plupart d'entre nous entretenaient des espoirs, certains raisonnables, d'autres irréalisables. Nous maniions les idées, ou des principes qui en tenaient lieu, nous nous croyions libérés. De quoi ? Du monde de nos parents, bien sûr, mêlant tout, prêts à repartir à zéro à tout bout de champ. Pour quoi ? Vers où ? Un monde qui serait dénué de bassesses. Nos préjugés, nous ne parvenions pas à les voir.

Alexandre ne pouvait certes pas prévoir que, la cinquantaine à peine atteinte, il deviendrait l'épave que je devais affronter. Une épave, est-ce que j'en suis bien sûr ?

N'a-t-il pas hérité de la meilleure part? Puisqu'il ne se rend compte de rien, que la vie glisse sur lui. Que lui donnerait un retour à la lucidité? Il aurait fini par prendre conscience de la relativité de ses succès. Ses pièces sont de moins en moins jouées, on commence à dire qu'elles sont dépassées, que le style réaliste qui les caractérise n'intéresse pas les jeunes qui, de toute manière, ne vont plus tellement au théâtre. Il se poserait d'interminables et inutiles questions, serait torturé puisqu'il avait le don de se livrer à des interrogations sans fin. Sa maladie l'a probablement délivré.

Je reviendrai le voir. Même si je suis persuadé de l'inutilité de ma démarche. Il n'a pas besoin de moi. Quand je me lève pour prendre congé, il ne cherche pas à me retenir. Je préfère. Je voudrais déjà être à l'extérieur.

— Tu es chic d'être venu. Tu sais comment sortir d'ici? Tu tournes à gauche, la deuxième porte. Je ne peux pas t'accompagner. C'est interdit. Comment fais-tu pour vivre au centre-ville? Moi, je ne pourrais pas. Le coût de la vie y est trop élevé. Si j'apprends bien mes leçons, je pourrai peut-être un jour.

Il m'indique le livre de Philip Roth. *Goodbye, Columbus,* en poche, un exemplaire jauni. À voix basse comme s'il s'agissait d'un secret, il dit :

— Je lis tous les soirs avant de me mettre au lit. Les leçons, c'est pour le jour. Toi, qu'est-ce que tu lis? Il y a bien un mois que nous ne nous sommes pas vus, toute la bande. Comment est Jennifer? C'est bien ainsi qu'elle s'appelle, ta petite amie? Tu es trop dur avec elle. Laisse-la s'épanouir, elle n'est pas tenue d'aimer la même musique que toi. Monteverdi, il m'emmerde moi aussi si tu veux savoir. Jennifer, j'aurais bien aimé sortir avec elle. Ça fait combien de temps que vous êtes ensemble ? Et nous, ça fait un joyeux bail que nous nous connaissons, combien de temps déjà ? J'ai mal à la tête tout à coup. Il va falloir que tu me laisses. Combien de temps déjà ?

Mon chat

Depuis combien de temps Charlotte occupe-t-elle son appartement de trois pièces rue Tupper en plein centre-ville ? Elle ne s'attarde pas trop à y penser. Plus de trente ans, certes. L'immeuble s'est déglingué, l'ascenseur est plus que souvent en panne, les murs du hall d'entrée d'un vert olive défraîchi se sont écaillés par endroits. Quand elle passe devant un ancien cinéma de la rue Sainte-Catherine tout près, un immeuble dont il ne reste plus que les murs qui risquent de s'effondrer, elle se dit qu'il est un peu l'image de sa vie. Déménager ? Charlotte ne s'en sent pas la force. En a-t-elle seulement le désir ? Remplir des caisses, emballer des bibelots, faire un tri parmi les livres devenus inutiles qu'elle a accumulés au fil des ans, tout cela lui paraît une tâche insurmontable. Au bureau, on lui a parlé de déménageurs professionnels qui, à ce qu'il paraît, prennent tout en main. Elle n'a même pas prêté l'oreille.

Confier à des étrangers ses petites possessions, leur permettre de fouiller dans ses objets personnels, de les évaluer, de s'en moquer peut-être, il n'en est pas question. Elle n'a rien de précieux, elle le sait. Dans une armoire en acajou dont elle a hérité à la mort de sa mère, elle a placé une minuscule horloge dont son père, bijoutier de profession, prétendait qu'elle valait plusieurs milliers de dollars. Le reste, de la pacotille. Il y avait bien sa collection de miniatures de Sèvres, mais qui s'y intéresserait ? Une manie de vieille fille, croit-elle. « Je ressemble à mon décor quotidien », pense-t-elle. « Je ne suis plus jeune, je me reconnais de moins en moins dans le monde qui m'entoure », ajoute-t-elle presque automatiquement. Et puis, quel monde ? Cette agence d'assurances où elle travaille depuis si longtemps ? Les vingt-cinq employés, des femmes pour la plupart, qui vont et viennent, se marient, divorcent, ont des enfants, donnent leur démission ou sont licenciées ? Elle seule reste. À cinquante-trois ans, elle estime qu'elle est nettement hors du coup.

Il arrive pourtant que des hommes s'intéressent à elle. Sa taille a conservé en bonne partie sa sveltesse, à peine si ses hanches se sont un tout petit peu épaissies. Elle a toujours sa démarche sautillante, oh très légèrement, de sorte qu'on la remarque quand elle se déplace d'un bureau à un autre ou qu'elle se lève de la table de son ordinateur. Quand elle sourit, ça lui arrive souvent, une fossette se dessine qui lui donne un charme que l'on juge parfois irrésistible. Le mois dernier, un important administrateur de la compagnie l'a invitée dans un chic restaurant du boulevard Saint-Laurent. Sans trop savoir pourquoi, elle a accepté de l'accompagner, cet homme dont rien ne la rapproche. M. Lovano est bien baraqué, il a le verbe haut de ceux qui ont l'habitude de commander. Charlotte a toujours préféré la compagnie d'hommes discrets, voire timides. Tout le contraire de M. Lovano. Il se croit trilingue, ne connaît que quelques mots de français qu'il prononce très mal et le doute n'est pas son fort. Quand elle a vu les prix affichés au menu, Charlotte a sursauté. Elle n'a pas l'habitude des extravagances quelles qu'elles soient. En matière de prix, elle en est restée à 1985. Les restaurants, d'ailleurs, elle ne les connaît plus. M. Lovano a choisi un vin blanc dont elle ne sait pas le nom, mais comme il se trouvait en bas de liste, elle en a conclu qu'il était sûrement onéreux. Inutile d'essayer d'en lire l'étiquette, le garçon a placé la bouteille dans un seau qui n'est pas à portée de vue. M. Lovano ne l'a pas consultée. À la façon dont le garçon s'est incliné tout à l'heure, elle sait qu'elle n'est vraiment pas dans le petit boui-boui où certains jours elle se rend avec ses compagnes de travail. Bien avant l'arrivée de l'entrée, des asperges blanches nappécs d'unc saucc onctueuse à l'arôme d'agrumes, M. Lovano, qui a de plus en plus de difficultés avec ses verbes français, a proposé qu'ils se tutoient. Elle peut aussi l'appeler Mario, mais voit-elle quelque objection à ce qu'il l'appelle Charlotte ? Elle a accepté, comment faire autrement ? Elle n'a pas l'habitude du vin et se serait volontiers contentée du Campari qu'il a aussi commandé d'office. Mario a la même attitude que les hommes ont toujours eue avec elle. Même les timorés. Il se conduit en conquérant, fait la roue, vante Toronto qu'il trouve supérieure à Montréal en tous points, les femmes exceptées, ajoute-il en lui touchant le bras. Il raconte quelques hauts faits de sa vie professionnelle sans trop prêter attention à ce qu'elle dit. D'ailleurs, elle parle presque par monosyllabes, se rendant bien compte de l'inanité de son existence. Comment intéresser un homme si important par le récit d'une vie dans laquelle rien ne se passe ? Rien de ce qui se raconte, en tout cas. Ses secrets, ses zones d'ombre, elle les garde pour elle. M. Lovano, ou plutôt Mario, est intarissable. En anglais, cette fois, il lui a confié avec des airs de conspirateur qu'il deviendra président de la compagnie en moins de deux ans. Un salaire annuel de près d'un million de dollars américains, sans oublier les avantages sans nombre, les indemnités, les options d'achat d'actions. Il sait des choses, des choses incriminantes, précise-t-il, sur le président en poste et réussira à le faire chanter. Charlotte s'est contentée de sourire.

Quand est arrivé le moment du dessert, il lui a intimé de prendre un tiramisu. Elle ne prise pas tellement les sucreries, mais elle feint de raffoler de cette part de gâteau qui lui lève le cœur. Les doigts de Mario se promènent maintenant sur ceux de Charlotte. Elle a remarqué qu'ils sont noueux. Il a une verrue sur la joue gauche. Pas tumorale, a-t-il expliqué en ajoutant que les femmes en sont excitées. Plutôt bel homme, juge-t-elle, pas son genre toutefois. Un peu de ventre, de la couperose, mais une carrure athlétique, un désir de plaire qui efface tout. C'est alors qu'il lui a proposé de prendre le digestif chez lui. Façon de parler. Un ami, en voyage d'affaires à Houston, lui a prêté son loft rue de la Commune. Charlotte a eu une courte hésitation. Et puis, elle s'est dit pourquoi pas ? Il veut coucher avec elle, tous les hommes se ressemblent. Dans son Audi flambant neuve, l'odeur du cuir ne trompe pas, il l'embrasse sur les lèvres en murmurant qu'il est fou d'elle.

Elle lui recommande d'être raisonnable pendant qu'il lui frôle le sein en appuyant de façon maladroite.

De cette soirée qui s'est mal terminée, Charlotte a conservé le souvenir d'une quasi-catastrophe. Mario considérait probablement que faire la cour à une femme est une affaire qu'il faut mener rondement. À peine étaient-ils entrés dans l'appartement qu'il dénouait sa cravate et tombait la veste. Charlotte avait tout de suite détesté le décor. Des murs presque nus, des étagères en plexiglas, des lampes à l'allure futuriste. Elle avait toujours préféré les ameublements d'époque, les abat-jour à frisons, les intérieurs à la lumière tamisée. Après avoir inspecté les lieux comme s'il en était le propriétaire, arrosé quelques plantes et redressé quelques cadres, Mario s'était approché de Charlotte. Avaient suivi des propos non équivoques. Charlotte aurait cédé, elle avait même le goût de faire l'amour, mais ces manières l'avaient refroidie. Lorsqu'il lui avait proposé d'une façon on ne peut plus claire d'aller au lit, elle avait répondu qu'elle avait une migraine aussi subite que forte, que le vin ne lui réussissait vraiment pas et qu'elle désirait rentrer chez elle. Lui appellerait-il un taxi ? Jamais visage d'homme ne changea plus rapidement. D'amène qu'il était, il devint fermé en moins de cinq secondes. La contrariété se lisait sur ses traits. Un peu vulgaires, ses traits, elle s'en rendait compte de plus en plus. Une phrase échappa à Charlotte : « Mon chat, ne t'en fais pas, nous aurons l'occasion de nous revoir. » Il lui destina un sourire entendu. Il ne la croyait pas et ne l'accompagna même pas à l'ascenseur.

Ce n'est que le lendemain que Charlotte s'était souvenue de cette phrase qu'elle se répéta sans cesse pendant des jours. Elle avait appelé « mon chat » ce Mario qui ne lui était rien. Ne fallait-il pas qu'elle soit gourde ! Utiliser ce mot tendre entre tous pour s'adresser à un malotru de son espèce. Un profiteur qui avait cru trouver en elle la poire idéale. Alors que celui qu'elle avait nommé ainsi pendant des années avait été l'amour de sa vie. Ronald était mort dans un accident d'avion aux États-Unis. Leur liaison avait été compliquée. Ils se prenaient et se quittaient à un rythme inquiétant. Jaloux comme pas un, Ronald téléphonait à toute heure du jour, allait chez elle à l'improviste, espérant probablement la surprendre en flagrant délit. Pourtant, Charlotte était la fidélité même. Elle n'avait pas d'imagination, encore moins d'initiative, et avait surtout compris que son amoureux ne pouvait pas agir autrement, qu'il était en plus de l'homme le plus exquis du monde, un cinglé. Et puis, n'avait-elle pas besoin qu'on l'aimât furieusement ? Si elle acceptait le comportement maladif de Ronald, c'était par insécurité. Au fond, cette attention obstinée, cette insistance à la vouloir disponible, obéissante, lui plaisait. Ils s'étaient donc aimés pendant sept ans. Il n'avait jamais été question de vie commune, encore moins de mariage. Elle l'appelait « mon chat » à cause de la façon qu'il avait de se lover contre elle et de lui susurrer à l'oreille les mots les plus doux. Au moment de l'écrasement de l'avion près de Sacramento, ils ne s'étaient pas vus depuis un an. Charlotte s'était interdit de fréquenter d'autres hommes pendant cette période, espérant qu'il lui reviendrait. À l'annonce de sa mort, elle avait songé à se suicider. Mais comment ? Elle s'était contentée de se terrer dans son appartement pendant un mois. Puis, la vie avait repris. Progressivement, sans vraiment le déplorer, elle était devenue une célibataire résignée. Jolie, elle le demeurait, on le lui disait encore, elle avait accédé à la cinquantaine sans trop de heurts.

Lorsque M. Lovano était revenu au bureau six mois plus tard, il venait d'être nommé vice-président de la compagnie. Un échelon de moins que celui qu'il avait convoité, mais tout de même une promotion d'envergure. Il avait à peine salué Charlotte. Elle ne s'en était pas étonnée. Après tout, mieux valait cette attitude qu'une hostilité marquée ou une ironie blessante. Mais un « chat », cet homme ? Il n'avait pourtant rien de félin, carré d'épaules à la façon d'un footballeur, la démarche lourdaude, le sourire épais, la sûreté de soi portée à son zénith. « Mais dans quel état étais-je ? » se demandait-elle. Elle avait si peu bu, elle s'était comportée comme une sotte qui n'en revient pas qu'on lui fasse compliment de sa féminité. Lui avait-il seulement dit qu'elle était belle, occupé qu'il était à se vanter ? Il avait l'air si gauche devant son couvert, maniant sa fourchette comme s'il s'était agi d'un quelconque outil. Le bruit qu'il faisait en lapant son potage florentin, qu'il avait voulu qu'on lui serve après les asperges. Et les pâtes surtout, des fettucine qu'il portait à sa bouche si goulûment que la sauce Alfredo dégoulinait de ses grosses lèvres. Elle avait eu le fou rire, se rendant compte de plus en plus du bourbier dans lequel elle s'était mise, mais il était trop tard. Il ne fallait pas qu'elle se moque trop ouvertement. Et puis, aussi bien l'admettre, elle avait eu peur de cet homme ridicule qui pouvait la faire renvoyer de son travail à sa guise. Elle serait donc allée au lit avec M. Lovano, il l'aurait fait jouir, lui l'immonde, et puis elle serait redevenue la vieille fille qu'elle ne cesserait pas d'être.

La vie au fond c'était un peu tout cela, ce gros homme très sûr de lui, ses hésitations à elle, sa peur, ses souvenirs. Elle avait longtemps vécu à l'écart du monde, elle s'étiolait, elle s'était imaginé que rien n'avait changé depuis l'époque où Ronald lui parlait des voyages d'affaires qu'il faisait. À l'âge qu'elle a maintenant, que peut-elle espérer de mieux que cet amant pitoyable qui croit pouvoir traîner à ses pieds toutes les femmes par le seul magnétisme de son pouvoir ? Et quel pouvoir ? Combien de temps encore avant qu'il soit éjecté de son poste par un émule plus ambitieux encore ?

Charlotte n'a plus de désir. Elle n'a pas couché avec un homme depuis longtemps. Et encore, cette dernière fois, elle n'a rien ressenti. Comment a-t-elle pu croire, ne fût-ce qu'un instant, que M. Lovano aurait pu lui procurer une once de ce plaisir dont le souvenir même est si effacé ? La dernière fois donc, Robert, un vieil ami venait de quitter sa femme. Un soir de tristesse, il lui avait téléphoné. Il avait bu, une forte odeur de bourbon émanait de lui. Elle n'avait pas osé lui refuser. Robert était si maladroit, elle l'avait pris en pitié. Rien de plus.

Ce soir, elle a rendez-vous avec ce même Robert. Il a renoué avec sa femme, parle sans arrêt de sa fille qui a maintenant seize ans et qui, à l'entendre, a le génie des mathématiques. Il lui montre sa photo. La petite est maigrichonne, a les cheveux coupés très ras. Charlotte n'aime pas les coiffures à la garçonne. D'autant plus que l'adolescente a de trop longues oreilles. Elle s'abstient du moindre commentaire désobligeant pendant que Robert s'extasie devant les notes qu'obtient sa fille. Il l'a inscrite dans un collège privé même s'il n'en a pas les moyens. Il répète que les parents ne se sacrifient jamais assez pour leurs enfants. Charlotte croit entendre Thérèse, une compagne de travail qui a toujours un tricot en marche. Charlotte se saignerait bien aux quatre veines, mais elle chercherait en vain la personne pour qui elle se dévouerait. D'ailleurs, elle ne le déplore même plus. Elle aime la vie qu'elle mène, tiède, sans aspérités, sans joies ni désagréments. Le pauvre Robert est toujours aussi inquiet. Il a besoin de cette tourmente. Sa femme lui apporte tout, sauf la paix. Comme d'habitude, Charlotte prend des nouvelles de Sylvie. Il lui répond qu'elle va bien, qu'elle donne toujours des cours, qu'elle se couche tôt, qu'elle refuse de sortir.

— Elle est en voyage ? Je croyais qu'elle...

— Elle est en voyage pour un mois. À Québec. Des cours à Laval.

— Tu n'as pas songé à l'accompagner ?

— Je ne pouvais pas. Le travail. Il y a la petite que je ne peux pas laisser seule et puis nous ne nageons pas dans l'argent, tu sais.

— Mais qu'est-ce que tu racontes ? Vous avez une maison, ta fille a seize ans.

Robert lâche le morceau sans prévenir :

— Sylvie préférait que je ne l'accompagne pas. Elle aime avoir les coudées franches. Je la comprends. Et puis, je ne voulais pas passer pour une sorte de cicérone, pour un mari soupçonneux. Il y a aussi, à toi je peux le dire, que je supporte mal qu'elle soit de plus en plus reconnue alors que moi je ne le suis pas. C'est ridicule, mais c'est comme ça.

Il lui touche le bras tout à coup. Pourvu qu'il ne

devienne pas trop tendre. Il n'a rien d'un Mario, pas un rustre, il a des attentions plus délicates, mais c'est un homme. Un homme qui, ces jours-ci, n'a pas d'attaches.

— Sylvie a un homme dans sa vie, fait-il en faisant pression sur la main de Charlotte.

Elle ne dit rien. Elle pense qu'il est bon d'être caressée par un homme. Promenant son auriculaire à l'intérieur de la paume de Robert, elle se sent tout à coup maternelle.

— Deux ans que ça dure. Elle ne veut pas me quitter, elle cherche à me convaincre qu'elle a besoin de cette liaison. Je connais le type. Un commissaire d'école. Bien sous tous les rapports. Une élégance innée, une aisance impeccable, des sous. Pas un minable dans mon genre.

— Tu n'es pas un minable. Tu as fait des choses.

— Lesquelles ? J'anime la même émission de radio depuis des lustres. Je passe ma vie à prononcer des sottises, à traiter de sujets qui m'indiffèrent. Tu crois que ça m'intéresse d'interviewer des petites vedettes à la con ? Je sais que je perds mon temps, que tout est foutu, mais il est trop tard.

— Mon pauvre ami, commence-t-elle.

« Je sais que je l'inviterai à prendre un verre chez moi. Comme cette fameuse fois où il a perdu la tête. Avec les hommes, ça se termine toujours un peu comme ça. Du moins avec moi. Je dois attirer cette sorte de comportement. » Dans ce restaurant trop bruyant où ils réussissent à peine à s'entendre, aucune conversation sérieuse n'est possible. Charlotte ne se demande même plus si Robert souhaite se confier davantage. Elle s'aperçoit avec un peu d'inquiétude qu'elle aime que Robert paraisse presque détruit. Enfin quelqu'un qui est à son diapason.

— Et si on allait chez moi ?

Robert répond qu'il aimerait bien finir la soirée avec elle mais qu'il attend un appel de Sylvie. Elle ne comprendrait pas qu'il ne soit pas à la maison comme convenu. Du coup, Charlotte se sent triste. Un abandon qu'il faut ajouter aux autres. Elle retire sa main.

— Tu dois me trouver bien faible. Je n'y peux rien, je tiens à elle. Même si je suis persuadé qu'elle reste avec moi à cause de la petite, à cause de Noémie. Elle a peut-être peur de l'inconnu, je ne sais plus.

— Tu as raison de tenir à elle.

— Tu prendrais bien un autre café ? demande-t-il en cherchant le serveur du coin de l'œil.

Elle répond qu'elle doit rentrer, qu'elle a beaucoup de travail ces temps-ci. Le rapport annuel. Étrangement, en même temps qu'elle prononce ces mots, elle se rend compte d'une réalité nouvelle, pour la première fois peut-être Robert l'ennuie. « Je serai mieux seule de toute manière. » Elle s'installera devant son téléviseur, jettera un regard distrait au journal parlé, s'endormira peut-être devant l'écran allumé. Ça lui arrive de plus en plus fréquemment. « Au moins, je ne l'ai pas appelé "mon chat" », pense-t-elle en se levant. Le garçon qui passe tout à côté tire sa chaise, elle le remercie d'un sourire. Robert paraît soucieux. Peut-être regrette-t-il d'avoir laissé passer la bonne aubaine ? Une femme de plus de cinquante ans tout de même ! Ou craint-il d'arriver chez lui trop tard ? Sylvie a toujours été impossible à vivre. Elle a tout obtenu de Robert. Elle sait se débrouiller, celle-là. « Moi, je n'ai jamais su. Surtout avec les hommes. Mon chat, mon chat, est-ce que j'ai pu être assez sotte ! Comme si j'étais complètement dénuée de vocabulaire, comme si je voyais des chats dans tous les hommes que je rencontre. M. Lovano, un chat? Un porc, plutôt. Va, mon cher Robert, mon tendre ami, va vers ta femme, va attendre son appel. Tu as raison d'accueillir ces miettes comme une bénédiction. » Comme elle aimerait pouvoir pendant une heure entière revivre le bonheur qu'elle a connu avec Ronald. Mais elle se connaît, elle sait que ce soir elle pensera à autre chose, au rapport qu'elle doit remettre demain sans faute, à des factures qu'il faut régler et qu'elle a fourrées par erreur dans un tiroir de sa commode. « Mon chat, qu'est-ce que tu dirais de moi, croirais-tu que je suis devenue un peu folle, dis-le, je te le permets. »

Il lui semble que Ronald ne répond plus.

Et toi, qu'est-ce que tu fais ?

Ces années-là, j'avais le scandale facile. Un compagnon de travail m'avait raconté qu'il avait téléphoné à sa femme du lit même d'une compagne et en présence de cette dernière. J'avais alors trente ans, j'étais au service d'un journal, correcteur d'épreuves à défaut d'être journaliste. Le collègue n'avait pas tardé à être promu chroniqueur sportif. J'ai végété quelques années, je me suis inscrit au chômage plusieurs fois, j'ai fini par entrer dans une agence de voyages. Au bout d'un an, on m'a signifié mon congé. Peu de temps après, ma mère est tombée malade. La chance de ma vie. À l'hôpital où elle devait mourir, j'ai rencontré sa meilleure amie.

Germaine venait d'hériter d'une fortune respectable. Un frère récemment décédé au Texas, actionnaire important d'une petite compagnie pétrolière. Germaine était embêtée. Que faire de cet argent soudain ? Ma mère, qui paraissait se rétablir d'une phlébite, avait dit à son amie : « Si les affaires t'embêtent à ce point, si tu ne sais pas où donner de la tête, Gérard s'en occupera volontiers ! » J'assistais à la scène, j'ai eu la présence d'esprit de répliquer que je ne demandais pas mieux que de gérer son portefeuille. En blague évidemment, car je n'entendais rien aux affaires, à commencer par les miennes. J'étais couvert de dettes, ma mère m'avait coupé les vivres depuis longtemps, mon ex n'arrêtait pas de me siphonner pour subvenir aux besoins de nos deux garçons dont l'appétit et les exigences de tous ordres grandissaient. Germaine aurait pu éclater de rire, m'envoyer paître, elle m'a plutôt lancé un regard de reconnaissance. C'est ainsi que je suis devenu Monsieur Gérard et que je m'occupe de cueillir le montant des loyers des quatre immeubles que Germaine possède à Côte-des-Neiges. D'ailleurs, si elle a investi dans l'immobilier, c'est grâce à moi. À croire que j'ai du flair.

Mon ex n'en revient pas. Je ne me fais plus prier pour lui envoyer des chèques. À condition qu'elle n'exagère pas. Je lui offre même des cadeaux, j'ai emmené les fistons à Orlando le printemps dernier. Disneyland, ils ont aimé. Pas étonnant, avec ce que ça nous a coûté, à Germaine et à moi. La faire payer sans qu'elle s'en rende compte, ce n'est pas facile. Mais il faut la manière. Je l'ai. Mon ex reviendrait avec moi, si je le lui demandais. C'est fou ce que l'argent peut faire. Il n'en est pas question. Pas du tout. Tant que Germaine vivra, tout ira bien. Après, nous verrons. Elle a une santé de fer, quatre-vingts ans, solide, fière allure. Quand elle sort de chez le coiffeur, on lui donnerait dix ans de moins. À la mort de maman, elle pleurait. « La vie est injuste, disait-elle, on se fait des amies et on doit s'en séparer. Ta mère était une femme en or, vraiment en or. » Plus la date du décès s'éloigne, plus elle lui trouve des défauts. Quand elle me prend à témoin des vilenies réelles ou supposées de ma mère, je me garde de commenter. Je sais que ma vieille n'était pas facile à vivre, qu'elle était plutôt mauvaise langue et qu'elle pouvait être parfois d'une étonnante dureté. Ne m'avait-elle pas tenu la dragée haute pendant des années, me laissant croupir dans un studio miteux quand j'étais à la recherche de travail ? Elle qui passait ses hivers au chaud en Floride ! Tout allait mal pour moi alors. Ma femme était partie, on m'interdisait de voir mes enfants, et elle me faisait la leçon les quelques fois où elle m'allongeait de misérables billets de vingt dollars. Je ne voudrais pour rien au monde revivre cette période. C'est pour cette raison que devant Germaine, je suis le parfait béni-oui-oui. Si j'ouvre la bouche, c'est pour la complimenter, l'approuver. Elle aime bien. Surtout si je lui dis qu'elle a de superbes yeux. Je n'ai pas à faire tellement d'efforts pour être gentil, je suis aimable de nature.

L'autre jour, il pleuvait, et la pluie rend toujours triste la pauvre Germaine. Elle m'a glissé en abaissant les paupières :

— Dire que je devrai laisser tout mon argent à mes neveux, eux qui ne se dérangent jamais pour venir me voir. Quand j'ai eu mon attaque, est-ce qu'ils se sont émus ?

« Son attaque » s'est produite il y a bien quinze ans. Un simple malaise à mon sens, mais elle en fait tout un plat. Quant aux neveux, je ne les ai vus qu'en photo. Évidemment, ils ne se sont jamais pointés. Le plus âgé doit bien avoir cinquante ans maintenant. Un pachyderme. Le cadet est maigrichon, mais laid comme un pou. À la place de

Germaine, je me méfierais. Ils n'ont rien de sain, ces deux-là. Chaque année, à Noël, elle leur envoie un chèque. Dix mille dollars. Je le sais, c'est moi qui le prépare. Ils ne tardent jamais à l'encaisser. Le carnet de banque de Germaine en fait foi. Je m'en occupe également.

Quand elle me parle de l'ingratitude de ses neveux, je ne dis rien. Je les excuse même, j'avance qu'ils sont peut-être trop occupés, que la vie ne nous laisse pas souvent libres, n'importe quoi, des mensonges, n'importe quoi pour ne pas paraître l'encourager dans sa suspicion. La méfiance fera bien son chemin, à son rythme, en son temps. Je me dis que si je deviens vraiment indispensable aux yeux de la vieille, elle me couchera sur son testament. Juste une petite somme pour services rendus. Parfois, j'ajoute : « Les jeunes, il faut les comprendre, ils ne savent pas, ils sont négligents. » Je fais semblant d'oublier que les neveux en question ont plus des deux tiers de leur vie derrière eux et que de toute manière ils sont trop insignifiants pour profiter de quoi que ce soit. L'un est videur dans une discothèque d'Ottawa, c'est le maigrichon. L'autre, l'énorme chose, passe ses soirées au casino. « Ils me feront mourir », dit souvent Germaine en mettant la main à sa poitrine, qui est généreuse. Quand j'exprime timidement l'avis que les neveux ont quand même l'âge de se débrouiller tout seuls, elle me rappelle qu'elle a promis à sa sœur sur son lit de mort de s'occuper d'eux. Même à cinquante ans ? Mais oui, puisqu'il lui arrive de les revoir bambins, donnant leurs petites menottes à leur mère. À l'entendre, ils étaient très mignons alors. « Même le gros dégueulasse ? » suis-je tenté de lui répliquer. Mais je me tais.

Hier, mon ex m'a téléphoné. En larmes. J'ai fini par

apprendre que son ami l'avait plaquée. Elle est justement devant moi, les yeux et le nez rougis. Plutôt mal foutue aujourd'hui, la Marie-Andrée, tee-shirt de médiocre qualité, jupe écossaise défraîchie. Elle n'a pas cessé de travailler à la poste, mais son mec préférait demeurer à la maison à boire de la bière. Un jour qu'il s'est senti plus vaillant, il a pris la poudre d'escampette. Il travaillerait comme croupier à Las Vegas. À mon avis, c'est improbable. On ne devient pas croupier aussi aisément au Nevada. Des Germaine, on n'en trouve pas partout.

— Il a pris des cours spécialisés, précise-t-elle. Il n'est pas aussi bête que tu le crois. Il parle anglais couramment.

Ce n'est tout de même pas pour me vanter cette nullité, cette merde, qui se permettait d'humilier mes enfants, elle me l'a souvent dit, ce n'est pas pour lui élever un monument qu'elle a tiré la sonnette d'alarme. Je suis occupé, moi. Germaine n'est pas toujours de tout repos. Si certains locataires ne règlent pas leurs loyers à temps, c'est moi qui casque. Le seul reproche qu'elle m'adresse justement, c'est d'être trop faible. Elle aimerait que je menace les récalcitrants d'une façon plus ferme. Je fais des efforts en ce sens, mais sans conviction. Le locataire de l'appartement 304 de l'immeuble B, par exemple, qui ne reçoit pas toujours ses allocations de retraite avant le 15 du mois. Impossible, me dit Germaine, les chèques de ce type arrivent toujours à point nommé. Elle oublie les délais postaux, elle croit que la grande bringue qui vit avec ce locataire, une Autrichienne d'une quarantaine d'années, me mène en bateau. C'est un peu vrai, cette panthère aux yeux verts me fascine.

— Mais qu'est-ce que tu as ? Tu ne m'écoutes plus.

Marie-Andrée a raison. Je viens à l'instant de m'imaginer Gerta nue. Hier, elle m'a répondu en déshabillé. Pendant au moins cinq minutes, je l'ai vue à contre-jour. Sa toison se devinait, ses longues jambes de danseuse de ballet m'apparaissaient dans leur troublante magnificence. Elle m'expliquait que son mari, le locataire impécunieux, avait été chef d'orchestre à Berlin. Il était parti pour Vienne. Il reviendrait très bientôt. Ce serait justement la fin de leurs tracas financiers. Si je pouvais leur accorder un délai, un tout petit délai. Elle m'a regardé d'un air éploré, je suis venu à deux doigts de commettre une bévue.

— Qu'as-tu l'intention de faire ? La poste, ça ne rapporte toujours pas assez ?

Elle ignore ce qu'elle fera. Au fond, elle ne l'a jamais su. Les enfants lui pèsent. Surtout l'ado, toujours à rouspéter. Les enfants, c'est elle qui les a voulus.

— Il est pourtant gentil, Steven.

— Avec toi, peut-être. Évidemment, tu le vois trois fois par année. Avec moi, c'est une autre paire de manches. Toujours à demander l'impossible, à faire des scènes. Tu sais la dernière, il veut que je lui paie des vacances à Banff. Avec quel argent, je me le demande. « Tu te débrouilleras pour en trouver », voilà ce qu'il m'a dit. Avec une arrogance que je ne lui connaissais pas. J'ai eu peur. Son frère est quand même plus facile. Il n'a pas dix ans, il est vrai. Tu sais pourquoi j'ai cherché à te voir ?

Je pourrais la devancer, lui dire que je suis sûr qu'elle me réclamera un chèque, mais je préfère garder le silence. Elle replace ses cheveux d'un coup de tête, baisse les yeux. Non, mais que va-t-elle me demander cette fois ?

— Je me suis rendu compte que je t'aime encore.

Je ne la prévoyais pas, celle-là ! Pour une tuile, c'est une tuile. Se faire dire qu'on vous aime quand vous n'aimez pas est la pire chose du monde. Moi qui n'ai jamais eu pour elle qu'un penchant qui n'a pas duré deux mois. Bien avant la naissance de Steven, je m'étais aperçu de mon erreur. Je m'étais fourvoyé. Je n'aimerais jamais cette femme. Elle a voulu avoir un autre enfant. Une fille, croyait-elle, elle en était même sûre. Une cartomancienne le lui avait prédit. Comme fille, nous avons eu Jean-Philippe.

— Marie-Andrée, tu dis n'importe quoi. Entre nous c'est terminé depuis longtemps. J'ai ma vie.

Quelle vie ! Outre Germaine, je ne vois pratiquement personne. Mes journées, je les passe au bureau que Germaine m'a réservé dans le plus moche de ses quatre immeubles. J'écoute des âneries à la radio, je fais des mots croisés, je ne sors de ma prison que pour des courses. Celles de Germaine et les miennes. Le dimanche matin, je paresse au lit en pensant au temps qui fuit.

— Nous n'avons pas toujours été malheureux ensemble. Tu te souviens, du temps de Molly, du temps où…

Molly, je ne connais pas de Molly. Elle doit faire erreur. Peut-être s'agit-il d'une connaissance de son chenapan de Las Vegas ?

— Mais oui, Molly, rappelle-toi, la petite chienne que les enfants avaient recueillie. Le poil roux, un air triste, tu la promenais souvent le soir.

Je me souviens tout à coup. Elle m'avait même convaincu d'aimer les bêtes, cette Molly. Avant elle, je les supportais mal. Marie-Andrée doit s'apercevoir que j'ai l'air attendri car elle passe de nouveau à l'attaque.

— Et si nous nous donnions une chance ? Tu pourrais revenir avec nous. Les enfants apprendraient à mieux te connaître. Tu te rapprocherais d'eux. Ce sont aussi tes enfants après tout. Tu leur manques. Ils me le disent souvent. Surtout Steven.

Je sais qu'elle ment. Marie-Andrée est la plus grande manipulatrice que je connaisse. Revivre avec elle, retrouver quotidiennement sa médiocrité, pas question. Je préfère de loin la solitude. Germaine ne comprend pas que je vive seul. J'ai beau lui expliquer que je suis un solitaire dans l'âme, elle me pose sans cesse des questions sur ma vie personnelle. Peut-être croit-elle que j'ai quelque sale manie ? Pourtant non, elle m'aurait mis à la porte le cas échéant. Un être bizarre, hors de la norme, voilà ce que je suis à ses yeux. Elle a raison. Si je ne l'étais pas, est-ce que je ne tenterais pas de profiter de sa crédulité ? Je ne lui ai pas pris un rond. Il y a eu le voyage à Disneyland, mais c'est tout. Je suis trop amorphe, je suis de ceux qui attendent un avenir qui ne se profile même pas. Je ne voudrais pas que Germaine crève. Je préférerais qu'elle vive longtemps et qu'elle me garde à son service. Il me semble tout juste souhaitable qu'elle me lègue une somme raisonnable à son décès.

— Tu as remarqué, j'ai remis mon jonc.

— Depuis qu'il est parti ?

— Ça n'a rien à voir. Je l'ai à mon doigt depuis longtemps. Je me suis toujours considérée comme ta femme, tu sais.

— Même lorsque tu m'as foutu à la porte ?

— Avoue que tu ne l'avais pas volé. Tu ne rentrais plus à la maison, tu ne me donnais pas d'argent.

Elle essuie une larme, une vraie. Je ne l'en croyais pas capable. Qu'est-ce qui la pousse à tant d'attendrissement ?

— Tu m'en veux toujours ? me demande-t-elle.

— Même pas. Mais qu'est-ce que tu veux au juste ? Combien ? Pas trop, je te préviens, j'ai encore des dettes à rembourser.

— Cinq cents, cinq cent vingt-cinq plus précisément. Pour le loyer, et puis Steven a besoin de lunettes, ça ne peut pas attendre. Il y a aussi Jean-Philippe, il lui faut un pantalon.

— Trois cents, pas plus. Tu n'as même pas à me remercier.

Je sors mon porte-billets. Je n'ai plus que des coupures de vingt dollars que vient de me fourguer le voisin de palier de mon Autrichienne. On dirait qu'il le fait exprès, celui-là, il paye toujours avec des billets froissés ou maculés, comme s'il voulait me narguer. Je viens bien près de m'en excuser auprès de Marie-Andrée. Je me retiens juste à temps. Pourquoi m'excuser ? Elle va sûrement se servir d'une partie de cet argent pour s'acheter un chandail ou une jupe.

— Tu pars déjà ? fait-elle.

— Tu ne croyais tout de même pas que nous allions passer l'après-midi ensemble ? Nous, c'est fini, comprends-le.

— Tu es dur.

Pas la première fois qu'elle me lance ce reproche. Elle se trouve douce peut-être ? Jamais femme ne m'a paru si déplaisante. Il me semble pourtant que j'aurais dû être moins direct. Louvoyer, faire comme mon collègue de l'époque qui téléphonait à sa femme pour la rassurer alors que celle avec qui il venait de faire l'amour était nue à ses côtés. Il était cynique, mais d'un cynisme qui rassurait. Il ménageait sa compagne alors que moi, je vais droit au but. Si j'agissais ainsi avec Germaine, si je me moquais de ses robes ridicules, de ses colliers affligeants, elle me signifierait mon congé sans tarder. Je m'adoucis, j'ajoute :

— Tu joues toujours au tennis ?

Elle me répond qu'elle a trop mal à la hanche pour se démener sur les courts. De toute manière, elle n'est plus abonnée à un club de tennis depuis longtemps. Trop cher. Je me retiens de lui dire qu'elle a grossi et qu'elle devrait perdre au moins trois kilos.

— Et toi, tu vas aux concerts symphoniques ? me demande-t-elle en glissant les billets dans son sac à main.

Je réponds que je ne sors plus tellement. Elle non plus. Est-ce que j'irais manger un morceau à la maison, un de ces soirs ? Les enfants ne demanderaient pas mieux, à son avis. Peut-être, voilà ce que je trouve à lui répondre. Après tout, il m'arrive souvent de m'ennuyer. Surtout le week-end. Et puis, nous finirons bien par faire l'amour. Marie-Andrée n'a jamais été moche au lit. Germaine apprendrait la nouvelle, elle en serait rassurée.

Tu ne voyages donc plus ?

« Tu ne voyages donc plus ! » s'étonnait souvent Philippe. Sylvain et lui correspondaient régulièrement. Ils s'étaient connus au sortir de l'adolescence. Une dizaine de lettres par an de l'un et de l'autre. Sylvain détestait se pencher sur un clavier et Philippe n'était abonné à Internet que pour des raisons d'affaires.

Ils ne s'étaient pas vus depuis six ans. Philippe avait une galerie d'art à San Jose, n'en sortait pratiquement pas. Sylvain n'avait jamais révélé à son ami qu'il s'était rendu à San Francisco une bonne vingtaine de fois ces dernières années. Comment lui avouer qu'il avait préféré se priver de sa présence plutôt que d'avoir à affronter sa compagne ? Sophie avait beau être attachante, il voulait la fuir. Trop de souvenirs douloureux. Il avait vécu deux ans avec elle naguère, tout indiquait que Philippe l'ignorait. Il y avait aussi que Sophie n'avait pas le contrôle de ses nerfs et qu'elle aurait pu lui faire une scène devant Philippe, lui rappeler les torts qu'il avait eus envers elle.

Quand il se rendait à San Francisco, Sylvain quittait le moins possible sa chambre d'hôtel. Toujours le même point de chute, le Hyatt Regency de L'Embarcadero Center. Ses rendez-vous, il les fixait à l'intérieur d'un périmètre bien défini, celui du quartier des affaires. Peu probable qu'il y croise Philippe, casanier de nature et de toute manière prisonnier de sa boutique. Sophie le retenait entre ses griffes. Sylvain savait mieux que personne à quel point elle pouvait dominer sa proie. Ne l'avait-elle pas vampirisé des mois entiers ?

Dans sa dernière lettre, Philippe avait laissé entendre à mots à peine couverts qu'il vivait maintenant seul. Sophie s'était-elle envolée ? Et de quelle manière ? Sylvain se souvenait qu'avec lui, les choses s'étaient déroulées rondement. En moins de deux, elle s'était amourachée d'une brute à barbe aussi noire que fournie qui peignait des natures mortes. Sophie avait même laissé dans l'appartement une croûte qui représentait un rocher recouvert aux deux tiers d'une eau saumâtre. « Ce que je pouvais être idiot », se dit souvent Sylvain en pensant à cet épisode de sa vie. Six années s'étaient écoulées, il avait tout pardonné. Ce n'était pas le ressentiment qui l'avait retenu d'affronter le couple. Tant mieux si son ami trouvait son profit dans cette liaison. Mais revoir Sophie en sa présence, pas question. Petit à petit, il avait eu moins peur d'affronter la diablesse qui l'avait agoni d'injures, mais la crainte de devoir avouer à Philippe des années de mensonges l'avait retenu. « Little white lies », aurait dit l'ami dont les lettres étaient maintenant parsemées de termes anglais ou d'anglicismes.

Mensonges sans importance, vraiment ? Sylvain n'était pas loin de croire qu'il avait été presque fourbe envers Philippe. Chacun de ses voyages incognito n'était-il pas en quelque sorte une trahison, une dissimulation ?

En voyage, Sylvain ne prend jamais de petit déjeuner. Un espresso suffit. Les hommes d'affaires se lèvent tôt. Il en reste quelques-uns, penchés sur leur exemplaire de *USA Today* ou sur leur ordinateurs portables. Tout à côté de lui, une grande fille à l'abondante chevelure châtaine n'en a que pour un Windows dont elle explique à une consœur qu'il fait des merveilles. Sylvain l'a à peine aperçue. Ce matin, rien ne l'intéresse que la rencontre qu'il aura à midi avec Philippe.

Il a longtemps hésité avant de l'appeler. Qu'aura-t-il à lui dire de vive voix ? Après tant d'années ? Leurs dernières lettres étaient plutôt ternes. Comme si un ressort s'était brisé. Ils parlaient de choses et de gens que le destinataire ne connaissait pas. Sylvain se rendait bien compte que cette correspondance pourtant rituelle et qui avait tant compté pour lui devenait un fardeau. Les êtres évoluent. La distance n'arrange rien. Ne constatait-il pas en lui le progrès lent mais constant d'une évidente sécheresse de cœur ? Jadis, on lui avait souvent reproché sa trop grande sensibilité. « Tu t'en fais trop, tu es trop sensible », lui disait-on. On ne le lui dit plus. « Je deviens vieux », avait-il commencé à se répéter sans bien y croire au début. Puis, il s'était rendu à l'évidence. Mathilde, avec qui il vivait, ne se plaignait de rien. Trop prise sûrement par son salon de coiffure, elle avait peu de temps à consacrer à leur couple. Une fois par semaine, la visite au restaurant, la plupart du temps suivie d'une séance au lit. Mathilde prenait son plaisir rapidement, ne s'occupait pas tellement de celui de son compagnon. Il en avait été tout autrement avec Sophie. C'était à l'époque où, il est vrai, l'amour occupait une place prédominante dans sa vie. Il s'était cru, ces années-là, un amant plutôt fougueux, alors qu'il n'était que passable. Lors de la rupture, Sophie n'en avait pas fait mystère. À la veille d'un départ qui devait le conduire à New York, séjour d'à peine vingt-quatre heures, elle avait rangé à la hâte quelques robes dans un sac de cuir en disant qu'elle en avait assez d'une vie ennuyeuse à mourir, qu'elle ne supportait ni ses manières casanières ni ses voyages ni non plus ses manies comme celles de prendre d'interminables douches le matin et de s'éterniser à table tous les soirs où il n'était pas à l'extérieur de la ville. On n'oublie pas aisément une fille comme Sophie. La cinquantaine était venue doucement, sournoisement. Son travail lui demandait tout juste assez d'attention, pas trop. Les clients dont il devait s'occuper en tant que courtier en produits alimentaires étaient de plus en plus exigeants, l'époque était à la férocité, mais il avait acquis une expertise indéniable. Jamais nerveux, s'interdisant en tout cas de le paraître, se comportant comme si l'issue des discussions lui était connue d'avance, il était un aide précieux pour son employeur. Un jour, il le savait, on lui indiquerait la porte sans ménagements. À la façon de Sophie.

Il est maintenant midi. Il a donné rendez-vous à Philippe dans le hall de l'hôtel. La salle est spacieuse, plafonds hauts, escaliers roulants nombreux, faux luxe, clinquant à l'américaine, tout le contraire de ce qu'aime Philippe. « Il se moquera de moi. Comme il l'a toujours fait. Au fond, ce sera amusant. » Sylvain ne l'a pas toujours cru. À l'époque, Philippe ne perdait aucune occasion de lui mettre son inculture sous le nez. Sa nullité en arts plastiques surtout, s'amusant à l'éblouir avec des noms inconnus du grand public, tenant pour acquis des goûts qui n'avaient pas encore franchi le cercle restreint des initiés. Sylvain le savait, il serait pour toujours aux yeux de Philippe le rustre qui ne lisait pas deux livres par année, avait mauvais goût en musique et préférait le golf à toute autre distraction. Mais pourquoi l'a-t-il appelé ? Rien ne l'y obligeait. Après tant d'années de dissimulation, il pouvait continuer de tricher. Si, il le sait, il veut apprendre de la bouche même de Philippe la raison du départ de Sophie. La raison et la manière. Est-elle partie en coup de vent ? Ou, au contraire, lui a-t-elle rendu la vie impossible pendant des mois ? De quoi peut avoir l'air son ami en amant délaissé ?

À vrai dire, les années n'ont pas tellement touché Philippe. À peine le cheveu est-il plus rare, le ventre plus affirmé. Pour le reste, rien n'a changé. Peut-être sa tenue vestimentaire est-elle plus relâchée qu'à l'époque. Jadis cravaté dès le lever, il porte maintenant une veste élimée aux coudes et un polo proclamant que le rock vivra éternellement.

— Heureux de te voir, dit Philippe.

Il le prie d'excuser son accoutrement, il ne sort plus tellement depuis le départ de Sophie. D'entrée de jeu, l'affirmation. Il a mis cartes sur table. Un léger accent, oh à peine, quelques mots d'anglais.

— Tu comprends, je l'aimais.

Quelle tête ferait-il s'il lui apprenait que lui aussi avait aimé cette femme ? Pas le moment. Pas encore.

— Si nous allions dans le quartier chinois ? propose Sylvain en se disant que pour une fois il pourra se déplacer à son aise dans San Francisco sans craindre une rencontre inopinée.

Philippe n'a pas faim. Depuis le départ de Sophie, il a des problèmes de digestion. Hier, par exemple, il n'a mangé qu'un sandwich à la dinde. *Turkey sandwich,* précise-t-il en ajoutant un terme dont Sylvain ne connaît pas la signification. Il porte la main à son estomac.

— Je n'ai le goût de rien. Si je m'écoutais, je vendrais ma galerie. *I'm fed up.* Mais pour faire quoi ? Pas le goût. J'ai à peine de quoi vivre pour un an. La vente de mon affaire me rapporterait trop peu. Et toi, les amours ?

Sylvain répond par une entourloupe. Philippe ne tarde pas à comprendre qu'il est au même point que lui. Puisque Mathilde ne compte pas vraiment. Du coup, ses réserves tombent. Il n'en veut plus à Sylvain de l'avoir négligé. Car il sait depuis toujours que son ami est venu régulièrement dans la région. Une indiscrétion involontaire commise par un peintre de leur connaissance. Philippe a commencé par en être peiné, a songé à mettre fin à leur correspondance, puis il s'est dit que si leur amitié n'a plus rien de profond elle n'est pas à rejeter pour autant.

— Tu vois toujours les copains ? demande-t-il en tombant la veste.

Même si la climatisation excessive de l'hôtel ferait grelotter n'importe qui, il a chaud.

— Quels copains ?

— Ceux que nous fréquentions. Du temps, comment s'appelait ce bar, je ne sais plus, aucune importance, mais Raphaël, Diego, Odette, Mylène ?

— Ça fait une éternité, tout ça. Non, je ne sais même pas ce qu'ils sont devenus.

— Tu ne les vois plus ? Mais alors qu'est-ce qui t'a pris de me faire signe ?

— Je ne sais pas, j'ai peut-être compris que le temps passe très vite.

Sylvain a la certitude que son ami n'a pas toujours été dupe. Sophie n'a jamais été discrète. Elle lui aura tout dit de leur relation. Pas au point de lui révéler tout de même qu'au cours d'une visite à Montréal, il y a trois ans, elle lui a donné un coup de fil, qu'ils ont couché ensemble, qu'elle a failli rester à Montréal ? Certes non. Autrement, l'amoureux éperdu n'aurait pas accepté de le rencontrer. Mais rien n'est sûr. Puisque leur amitié n'est plus qu'un tissu de dissimulations et de demi-vérités.

— Sophie t'aime bien, tu sais, dit Philippe en essuyant une larme.

Sylvain voudrait commenter, ajouter qu'il est heureux de l'apprendre, mais il se tait. Il reste en lui trop de détestation pour cette femme, il est convaincu qu'elle représente tout le mal qu'un homme peut craindre d'une liaison malheureuse. Même s'il ne croit pas un mot de ce qu'il avance, il dit :

— Et si tu revenais à Montréal ? La ville a changé, tu sais. Tu y serais bien. Une galerie dans le Vieux-Montréal, c'est toujours possible. Nous pourrions nous voir comme avant. Tu ne trouves pas que nous ne sommes pas tellement doués pour la correspondance ? Sophie, tu l'oublieras.

Il savait que lui ne l'oublierait jamais. Pas comme San Francisco, qui ne lui paraissait d'aucun intérêt depuis qu'il pouvait arpenter ses rues sans devoir se cacher.

Une lente dérive

Camille se souviendra longtemps de ce jour d'octobre où elle a appris qu'elle perdait son travail. Infirmière dans un petit centre hospitalier de banlieue, elle s'était imaginé qu'elle occuperait ce poste pour au moins les cinq prochaines années. Elle a poussé l'audace au point d'acheter un studio dans un immeuble non loin de l'hôpital. Bien modeste, il est vrai, mais il lui faudra néanmoins acquitter les frais d'entretien, les mensualités de l'hypothèque. Elle a même meublé à neuf son petit appartement.

Elle vient à peine de quitter le minuscule local où se trouve la case dans laquelle elle remisait ses effets personnels, transportant dans un fourre-tout une paire de souliers, des bas, un nécessaire à maquillage, un exemplaire de *L'Étranger* de Camus, lorsqu'elle se met à pleurer. Des larmes qu'elle voudrait bien retenir. À trente-deux ans, manquer à ce point de maturité ! Pleurer, ce n'est jamais la chose à faire. Il faut donner le change, se trouver un autre travail, prouver qu'elle est à la hauteur de la situation. À ce qu'il paraît, on recherche des infirmières partout. Mais sa profession lui paraît aussi peu attrayante que sa vie amoureuse. Michel vient de la quitter après deux ans. Ses raisons ? Il n'en a pas donné. Ou plutôt il a prétendu qu'il voulait se « réaliser ». Il se sentait pris dans un carcan. Un carcan, les attentions qu'elle a eues pour lui ? Ce n'est pas la première fois que ses histoires amoureuses se terminent de cette façon. Elle n'aurait donc rien appris. Pour une fille plus avisée qu'elle, il aurait été évident que Michel n'était pas homme à se satisfaire d'une vie tranquille. Musicien amateur, il est à l'âge où on s'imagine encore que le succès viendra et qu'il sera d'importance. Pour l'heure, il est guitariste dans un petit groupe rock et joue dans les mariages.

Camille va s'engager dans le couloir qui mène à la sortie lorsque le vigile se tourne vers elle. Un jour de l'hiver dernier où elle ne parvenait pas à faire démarrer sa voiture, c'était avant l'achat du studio, il avait ouvert le capot de la vieille Honda pour s'apercevoir qu'un câble avait été sectionné. Il lui souhaite bonne chance, lui dit qu'on la rappellera bientôt puisque l'hôpital recevra de nouveaux crédits du ministère. Elle le remercie d'un sourire, se dit qu'il y a encore de bonnes âmes sur terre.

Le hall à peine franchi, elle croise Brigitte, une collègue. Longue rousse aux cheveux bouclés, elle passe pour une très jolie fille. Pas l'avis de Camille qui lui trouve mauvais genre. Elle estime qu'elle ne va pas tarder à prendre de l'embonpoint, qu'elle rit de façon vulgaire, qu'elle s'habille de manière trop provocante. Aujourd'hui, Brigitte est vêtue d'une blouse blanche en tissu opaque. Pas son habitude. Même sa démarche n'a pas ce balancement exagéré des hanches qui la caractérise.

— C'est la fin ? demande Brigitte.

— C'est la fin.

— Je suis arrivée plus tôt aujourd'hui. J'espérais te voir. Pour te souhaiter bonne chance. Tu as bien un moment ?

— Ce n'est pas le temps qui me manque.

— Un petit café ne nous fera pas de tort.

Les voici installées dans un coin retiré de la cafétéria. Brigitte grignote un gressin. « C'est fou ce qu'elle mange mal », pense Camille. Elle voudrait bien ne pas remarquer ce genre de détails, mais comment ne pas entendre le bruit de sa mastication ? Elle aimerait penser à autre chose, à un compliment qu'elle lui adresserait, puisque l'attitude de Brigitte la réconforte. Manque de pot, elle a travaillé trois ans à ses côtés sans s'apercevoir qu'elle aurait pu devenir une confidente. À cause de Michel et des hommes qui l'ont précédé, elle n'a jamais cherché la compagnie des femmes. Les conversations entre filles, dont la plupart de ses consœurs vantent les avantages, lui sont toujours apparues comme du verbiage. Et les silences butés des hommes, que lui ont-ils valu ?

— Tes projets ? demande Brigitte en repoussant l'assiette à dessert au fond de laquelle reposent les miettes de son petit pain.

— Le travail ? Je ne sais pas. Je n'ai que le goût de pleurer.

— Tu n'as pas d'amoureux ? Il ne te console pas ?

L'indiscrétion de Brigitte ne la heurte pas. Qu'est-ce

qui a encore de l'importance? Elle se sent en veine de confidences. Une semaine qu'elle n'a parlé à personne.

— Je n'en ai probablement pas.

— Qu'est-ce que tu veux dire?

— Je vivais encore avec quelqu'un il y a dix jours. C'est lui qui est parti si tu veux savoir. Je devais l'ennuyer.

« Si elle me dit que je suis une fille intéressante, que j'ai plein de choses à dire, je me lève », pense Camille. Brigitte plisse les lèvres, fait:

— Je vais t'étonner. Je t'envie. Tu es le genre de fille que j'aurais aimé être. Et puis, sais-tu ce que je souhaite, c'est que Michel fasse comme ton ami. Qu'il fiche le camp. Je serais seule enfin.

— Michel, c'est son prénom? C'est aussi celui de mon ami.

— Ton Michel, il est comment? Le mien est costaud, il a les cheveux en brosse, il a une moto, il aime les sports.

Camille dit que Michel a les yeux bleu azur, qu'on voit ses fossettes quand il sourit, qu'il n'a pas l'air d'avoir trente ans, qu'il écrit des poèmes, qu'il joue de la guitare. A-t-il du talent? Elle est mauvais juge puisqu'elle ne lit que des romans et ne supporte pas le rock.

— Tu ne l'aimes plus? reprend Camille qui ne conçoit pas qu'on puisse se lasser d'un homme.

Elle s'est toujours accommodé de Michel. Et de Luc, et de Ghislain avant lui.

— Je ne l'ai jamais aimé. Si je ne l'avais pas eu comme patient, je me demande si je me serais intéressée à lui. Il nous est arrivé en charpie. C'était l'été dernier, pendant tes vacances. Un accident de la route. Il était beau gars, j'étais libre. Je l'ai accueilli chez moi à sa sortie de l'hôpital, il m'assurait qu'il partirait au bout de la semaine. Tu parles ! Des mois qu'il ne travaille pas, qu'il vit à mes crochets. Il fume sans arrêt. Même pas des joints, un petit joint, moi, j'aime bien. Non, des cigarettes qui puent. Quand je m'absente, il reçoit des amis. Il faudrait que je le mette à la porte. Je ne sais pas comment.

« Une autre remarque de ce genre et je fous le camp ! » se dit Camille. Si c'est pour lui confier des âneries pareilles que Brigitte a tenu à lui parler, aussi bien partir et aller pleurer à son aise, sans fournir d'explications, sans se tenir obligée de paraître s'intéresser à une histoire qui l'indiffère.

— Il te faisait bien l'amour ? demande Brigitte dont le rouge à lèvres luisant énerve Camille.

« Un rouge à lèvres de pute », pense-t-elle.

— Plutôt bien.

Brigitte ne s'attend tout de même pas qu'elle lui donne des détails. De leur relation, ce ne sont pas les ébats amoureux qui lui manquent le plus. Elle s'était habituée à voir Michel autour d'elle, distrait la plupart du temps, mais présent quand même. Ses silences, elle les connaissait, elle avait appris à les interpréter. Il arrivait qu'il se lève en pleine nuit pour noter des idées qu'il inscrivait dans un carnet. Le matin, même si elle était en congé, il s'enfermait. Il grattait sa guitare. Elle évitait de faire trop de bruit. Au fond, elle redoutait le moment où il sortirait de son antre. Serait-il épanoui ou, au contraire, bougon ?

— C'est important pour toi, l'amour ? demande Brigitte en bâillant.

Pourquoi faut-il qu'elle se remette à pleurer ? Elle devra s'expliquer devant une fille qui ne comprendra jamais ce que signifie la solitude. La peur de l'abandon, elle la connaît depuis l'enfance. Un père mort quand elle n'avait que cinq ans, une mère qui allait de dépression en dépression, menaçant à tout moment de mettre fin à ses jours. Elle est morte en clinique psychiatrique le jour où Camille a rencontré Michel.

Brigitte précise :

— Je parle de l'amour physique, bien sûr. Ça ne te manque pas d'avoir un sexe d'homme en toi ? Moi, je ne pourrais pas m'en passer.

Camille panique. Les propos trop crus la gênent. Sa sensibilité est d'un autre âge. De l'amour, elle n'a retenu que la douceur qu'on y rencontre à certains moments de grâce. Elle a connu les paroxysmes de la jouissance, mais ce n'est pas tellement cette euphorie qu'elle recherche. Que vienne le plaisir, elle l'accueillera avec reconnaissance, mais qu'est-ce à côté de la chaleur d'une présence, de l'illusion passagère ou du moins pas toujours constante de former un couple ? Les premières fois où elle est allée au lit avec un homme, elle a été heurtée par la violence de l'acte. Leur furie à eux deux, leur délire. Bien sûr, elle a glissé vers le plaisir en tout abandon, elle a accouru vers la jouissance de l'autre, mais une crainte demeure que rien ne parvient à gommer entièrement.

— J'aime Michel plus que jamais, réussit-elle à dire dans un sanglot.

— Ma pauvre fille, tu es en train de te préparer une belle peine d'amour. Il faut que tu apprennes à te défendre, il faut que tu commences à le détester, ton Michel. Sinon, tu es cuite.

Camille ne trouve rien à répliquer. « Quelle idiote je

suis », pense-t-elle. Elle ne va pas avouer à cette Brigitte qu'elle a longtemps cru qu'avec Michel c'était pour la vie. Elle a même songé à avoir des enfants de lui. Trois, une fille, deux garçons. Il n'était pas d'accord. Il fallait attendre. Elle ne l'a pas écouté. Six mois à éviter les précautions d'usage, sans résultat. S'en est-il aperçu ? S'est-il enfui de crainte qu'elle ne soit enceinte ?

— Tu as des projets ? redemande Brigitte.

Camille raconte qu'elle a envoyé des c.v. ici et là, qu'elle s'apprête à faire quelques visites, mais elle parle avec si peu de conviction que Brigitte sait qu'elle ment.

— Faut pas rester inactive trop longtemps. C'est malsain. J'ai des amis un peu partout dans le milieu. Tu veux que je leur parle de toi ?

— Ce serait gentil. Dis-leur que j'aime mon travail, que les malades…

Elle s'arrête, se reprend :

— À bien y penser, ne fais rien. Je veux me reposer pendant quelque temps. Je ne me sens plus la force de bouger.

— Un voyage, non ?

— Pour aller où ? Nous avions parlé du Maroc pour l'hiver prochain.

— Le Maroc, c'est beau. J'ai vu un documentaire à Télé-Québec.

Brigitte raconte qu'elle doit se rendre au Mexique dans un mois. Au Club Med. Lequel ? Elle ne sait plus. Mais avec Michel, qui n'est pas très sûr d'apprécier. Le Mexique, trop chaud pour lui.

Camille se lève. Le réconfort de la présence de Brigitte s'est évanoui. Cette femme l'ennuie.

— Excuse-moi d'avoir pris de ton temps. J'aurais dû comprendre que tu as des choses à faire. Tu travailles encore, toi. Justement, tu seras en retard. Déjà dix heures quinze.

— Si tu savais comme je m'en balance ! Je vais te donner mon numéro de téléphone. Si, un de ces jours, tu as le goût de parler. Tu viendras prendre une bouchée avec nous.

Camille la remercie. Elle ne s'est pas rendu compte que la cafétéria se remplit peu à peu. Une infirmière la salue, puis une autre. Elle se dirige vers la sortie, hèle une dernière fois Brigitte déjà en conversation avec un chirurgien qui a la réputation d'aimer les femmes. Elle veut remercier une fois de plus le vigile, mais il ne lève même pas les yeux vers elle.

Il y a longtemps

En ce temps-là, je m'imaginais que j'irais à l'université. Pour y étudier quoi? Je ne savais pas. Mes notes étant ce qu'elles étaient, les quelques démarches que j'avais faites en ce sens avaient été vaines. Est-ce ma faute si j'ai toujours été un cancre?

Les écrivains me fascinaient. Je vouais un culte particulier à André Gide. Pas à cause de ses pratiques sexuelles, je les ignorais. Je lisais cet auteur presque exclusivement. *Les Faux-Monnayeurs* et *Les Caves du Vatican* m'étaient livres de chevet. Le visage même de Gide m'en imposait. J'aurais aimé avoir plus tard son air de moine bouddhiste. Bien sûr, j'ignorais qu'il écartait parfois les pans de sa cape pour s'exhiber devant les enfants qu'il abordait. Je me souviens d'un film en noir et blanc dans lequel il jouait du piano, Chopin, j'en suis presque sûr. Il posait au vieux maître. J'aurais bien aimé lui rendre visite, rue Vaneau.

Que lui aurais-je dit ? Des sottises. Il n'aurait certes pas parlé de moi dans son journal.

Maintenant que j'ai soixante-dix ans, que je n'ouvre que très rarement un livre, mes souvenirs de cette époque sont de plus en plus flous. Des livres, j'ai tenté d'en écrire. J'ai envoyé des manuscrits à droite et à gauche. J'ai reçu des refus polis, d'autres qui ne l'étaient pas. Je m'en suis fait une montagne, j'ai cru que tout s'écroulait, puis je me suis résigné. Comme il est aisé de se fondre dans la foule. J'aurais voulu être différent des autres, ne pas subir bêtement ma vie, la moduler à ma guise. J'ai échoué. C'est pour ça que ce soir, comme à peu près tous les soirs, je me contente de regarder un film américain idiot que j'ai loué à la boutique vidéo située en bas de l'immeuble où j'habite depuis au moins trente ans.

Rien n'est plus prévisible que ces histoires simplistes. Il y a toujours l'imminence d'un danger, l'apparition d'un héros qui finit par aimer une blonde bien roulée. Il y a quelques années, la blonde était idiote, elle a maintenant tendance à expliquer la théorie de la relativité. De plus, elle a de gros seins, en révèle les deux tiers quand elle se colletaille avec un quelconque monstre et ne se radoucit qu'en présence du héros. Pas du genre à m'exciter. D'ailleurs, je ne m'excite plus aussi aisément. C'est l'âge, prétend mon médecin. Je suis à la retraite depuis dix ans. Quand on m'appelle « le vieux », je ne bronche même plus. J'accepterais volontiers que ma vie ne se conjugue plus qu'au passé. J'ai ma dose de souvenirs. Ils me tiennent compagnie.

Quand je reçois la visite de mes neveux, je n'en reviens pas de leur enthousiasme. Je les vois faire des bêtises, s'illusionner, atteindre des zéniths, puis s'effondrer. Je me revois à leur âge, je voudrais les aider, mais je sais trop que j'en serais incapable. Parfois, je joue le jeu, je leur dis qu'il n'est pas vain de s'imaginer des choses, je feins de partager leurs engouements, je parviens même à y croire moi-même pendant quelques heures. Lorsque l'espoir retombe, je suis reconnaissant au destin de m'avoir accordé un peu d'euphorie.

C'est vrai, je pense souvent au passé. Je me revois vers 1950, commis de librairie. Le patron, un vieux Breton, vieux pour moi, il avait à peine quarante-cinq ans. Il avait loué un petit local miteux rue Saint-Denis, à peu près à la hauteur de la rue Rachel. Un jour, il m'avais surpris à glisser un Mauriac dans mon cartable. La peur que j'avais eue ! Dire que c'était plutôt *La Symphonie pastorale* que je croyais chiper. J'avais dû agir en toute hâte, Monsieur Marin étant occupé, m'avait-il paru, avec un client tatillon. Il m'avait regardé en souriant. « Toi, au moins, tu aimes les livres ! Celui-là, je te le donne, tu peux l'emporter. *Genitrix*, ce n'est pas mal. Mais la prochaine fois, tu n'as qu'à m'en parler. Pourquoi te cacher ? »

Un mois plus tard, il me demandait de l'assister le samedi. Avait-il vraiment besoin de mes services ? Je ne le crois pas. Il ne venait jamais plus d'une vingtaine de clients dans une journée. Bien peu sortaient avec une acquisition. Et je ne savais rien, de quelle aide pouvais-je être ? Monsieur Marin s'ennuyait dans la vie. Incollable dès qu'il s'agissait d'éditions, récentes ou non, de romans français ou étrangers, passionné d'ouvrages anciens, il était un mauvais homme d'affaires. Sa femme ne manquait pas de lui en faire le reproche. Si elle n'avait pas été institutrice, recevant de ce fait un salaire régulier, c'en aurait été fait de la librairie.

À l'époque où je suis devenu son commis, Monsieur Marin venait d'acquérir trois fonds de bibliothèques privées ayant appartenu à un médecin et à deux curés. Sa femme l'avait boudé pendant des semaines. L'opération avait pourtant été rentable. Pour classer les nouvelles acquisitions, il avait fallu travailler en soirée. Me payait-il raisonnablement ? Probablement pas. Monsieur Marin établissait ses prix d'une façon plus que fantaisiste. Si un auteur lui plaisait, il lui attribuait une cote exagérée alors que les ouvrages d'un auteur honni étaient offerts à des prix ridicules. « Le moins longtemps je le verrai, celui-là, le mieux je me porterai », disait-il en riant. Je l'écoutais, admiratif. La vie ne m'a presque rien appris, mais à cet âge j'étais vraiment un corniaud. Toutefois, je ne m'en veux pas d'avoir été naïf. Ce serait plutôt l'inverse.

Nous étions à classer des ouvrages de théologie lorsque Monsieur Marin me toucha le bras. Ses mains étaient moites.

— Tu dois trouver que c'est un peu inutile, toute cette activité ? Ces livres poussiéreux que personne n'a ouverts et que personne n'ouvrira. As-tu songé à la somme de niaiseries qu'ils renferment ? À tous les mensonges qu'on y trouve ? Dire que leurs auteurs ont cru que leur jour de gloire était venu, dire que j'ai passé des années au milieu de tout cela ! J'ai été élevé dans les livres. Mon père était libraire à Rennes, je te l'ai dit ? Tu sais ce que tu veux faire, toi ?

Je lui réponds que je n'ai qu'une idée en tête, écrire. Écrire quoi ? Je l'ignore, des romans sûrement. Je lui parle d'André Gide. Il me regarde d'un drôle d'air. Manifestement, il se retient de faire un commentaire. Puis, il me demande dans quelle tonalité je veux écrire. Selon lui, avant d'écrire, il faut connaître sa tonalité, comme un musicien.

— Ne perds pas ton temps à essayer d'écrire. Pas maintenant. Tu es trop jeune. Tu as une petite amie?

Je fabule, je lui dis que je suis presque amoureux. Pourtant Virginie ne me laisse même pas l'embrasser. Au moins, elle ne me chasse pas. Elle n'est pas tout à fait mon genre, trop bavarde. Même à cet âge, je suis taciturne, j'aime les propos qui paraissent venir de loin. J'ai horreur du babillage.

Il porte à bout de bras les œuvres complètes de Louis Veuillot en une bonne dizaine de volumes in-octavo, les dépose sur un rayon, fait mine de les épousseter, se penche vers moi.

— Tu ne le sais pas, mais je me suis marié par convenance. Marie est une bien brave fille, mais moi j'aime les garçons. Comme ton André Gide. N'aie pas peur, je te laisserai tranquille, tu n'es pas de ceux qui m'attirent. Mes goûts, tu veux les connaître? Henri, tu sais, le petit blond que je t'ai présenté hier, voilà quelqu'un qui me rend fou. Dans un mois au plus tard, je lui aurai mis le grappin dessus. Le nombre de garçons que j'ai connus! Une bonne centaine. Marie voit tout, mais elle ferme les yeux. L'été dernier à Vannes, j'ai levé un petit Marocain. Beau comme un dieu, des yeux de braise, un corps un peu dodu comme je les aime. Je me suis attaché à lui. Jamais une ville ne m'a paru aussi triste au moment du départ. D'autant plus que je savais que je ne reviendrais pas. Je n'étais retourné là-bas que pour régler une affaire d'héritage. Mon vieux venait de mourir. Marie m'accompagnait.

Elle n'a rien dit. Évidemment, nous faisions chambre à part depuis longtemps. Je lui ai offert le divorce, elle préfère que nous restions ensemble. Ça m'arrange. Surtout qu'avec la librairie, je ne roule pas sur l'or.

Je voulais tellement devenir écrivain que je me comportais déjà comme un romancier. Je notais dans un cahier les confidences de Monsieur Marin comme autant de témoignages qui remplaceraient une expérience de la vie que je n'avais pas encore. Monsieur Marin ne tarda pas à me prier de l'appeler Roland. Même devant Marie? Même devant elle. Ne croirait-elle pas que j'étais un de ses mignons? Bien sûr que non. Elle savait distinguer le genre de recrues que son mari choisissait. Elle aussi avait l'habitude.

Un jour, je lui ai demandé s'il avait souffert de son homosexualité. La librairie était fermée, je comptais sur des révélations. Mon cahier, toujours. Il me répondit que non, qu'au contraire cette préférence sexuelle lui avait procuré tellement de joie qu'il se félicitait chaque jour de pouvoir jouir du corps de jeunes éphèbes. « Je leur apporte du bonheur autant que j'en reçois d'eux », affirmait-il sans chercher à cacher qu'en France il avait été condamné à deux reprises pour outrage aux bonnes mœurs.

— Et votre femme dans tout cela?

— Il faudrait le lui demander. Actuellement, elle se préoccupe de trouver un moyen d'enseigner la table des neuf à ses élèves. Mais ton roman, il avance?

Je répondais n'importe quoi, que j'en étais à l'étape du plan ou que j'avais détruit cinquante pages d'un coup. À vrai dire, je n'avais devant moi qu'une petite liasse de notations plutôt vagues que ma mère devait jeter à la poubelle un peu plus tard. Je ne lui en ai même pas voulu. Les affaires allant de mal en pis, Roland m'apprit qu'il n'aurait plus recours à mes services. Je lui dis que je me contenterais d'un salaire encore plus bas que celui qu'il me versait, il me répondit qu'il mettrait la clé dans la porte la semaine suivante.

À partir de ce jour, je ne l'ai vu que chez lui. Il me recevait dans un boudoir rempli de livres. Des livres qu'il avait réussi à rescaper de la faillite. Marie me répondait parfois à la porte, nous offrait un café puis disparaissait, nous laissant à nos discussions. Pour dire vrai, nous parlions peu. Roland ne quittait presque plus son divan. Fini, les garçons. Il me le disait en tout cas, et je le croyais. Il était devenu gros. Quand Marie partait pour l'école, il ouvrait un livre au hasard. Pendant toute une année, il avait lu les *Sermons* de Bossuet. Pour le style, se croyait-il obligé de préciser.

J'avais abandonné mes études au collège, je vivotais grâce à des cours que je donnais dans un institut de dessin industriel. Je n'écrivais toujours pas. Des tentatives sans suite, la certitude rapidement acquise que rien ne servait à rien. Il me semblait vaguement que Roland était un personnage de roman. Son expérience me guiderait, m'inspirerait. Cet homme avait mis son espoir dans les garçons et sa passion dans les livres. Je détenais donc le héros qui servirait de moteur à une intrigue. Parler de ses inclinations sexuelles m'aurait certes été difficile, mais je n'avais qu'à le transformer en personnage hétéro et le tour serait joué. Le spectre de Gide s'estompait. Son *Voyage au Congo* m'avait exaspéré. Surtout, je me rendais compte que je n'aurais jamais rien d'un homme de lettres. Encore moins d'une figure de proue dans son genre. Moi, influencer une génération ? La belle blague ! Je vivais depuis peu avec Solange, elle était enceinte du mari qu'elle avait quitté. D'une beauté inouïe, elle parvenait à certains moments à me faire croire que j'avais du talent. Elle prétendait aussi que Roland avait eu une mauvaise influence sur moi. Elle l'appelait « ton vieil inverti », se moquait de sa démarche chaloupée, de sa voix chuintante. Je ne relevais pas ses incongruités, je croyais toujours que Roland me fournirait l'inspiration qui me faisait défaut.

Pourquoi ai-je cessé de le voir ? Je ne sais plus tellement. J'ai appris sa mort en apercevant son nom dans les pages nécrologiques du *Journal de Montréal*. La photo qui accompagnait la notice était vieille d'une bonne trentaine d'années. Il paraissait encore plus jeune qu'à l'époque où je l'avais connu. Il est mort d'un cancer du cerveau. C'est ce que m'a appris Marie que j'ai rencontrée à une exposition du Musée des beaux-arts, il y a bien quinze ans. Elle avait beaucoup vieilli, portait toujours de longues nattes. Elle m'a paru triste.

— Roland, je l'aimais bien, a-t-elle dit tout à coup. Vous aussi, n'est-ce pas ?

— Il m'a appris beaucoup de choses.

J'ai craint qu'elle ne me demande lesquelles. J'aimais son indépendance, son obstination à ne pas tenir compte des gens, sa passion des livres. Il aimait les écrivains. Ce n'est certes pas sa faute si je n'ai pas persévéré. À l'évidence, je n'étais pas doué. Pour écrire, il faut de la ténacité. Je n'en ai jamais eu. Roland disait : « Oublie cette vieille pédale, décris un monde que tu connais. Gide ne peut pas t'aider. Il te nuit. Son univers n'est pas le tien.

Mais trouve-toi un monde et ne le quitte jamais. C'est ainsi qu'on parvient à être écrivain. »

En amour aussi, j'ai manqué de persévérance. C'est ce qu'a toujours prétendu Solange. Je la vois à l'occasion même si nous avons rompu il y a très longtemps. Quand elle est en verve, elle me parle contre les hommes. Tous des profiteurs. M'inclut-elle dans le lot ? Probablement. Après tout, je me suis comporté avec elle comme avec les autres. Trop discret, trop mou. Mes ambitions, la même histoire. Le roman que j'ai cru porter en moi, que j'ai travesti dans des tentatives maladroites, je l'ai abandonné comme je l'ai abandonnée, elle. S'il m'arrive de regretter d'avoir agi de la sorte avec Solange, je ne crois vraiment plus que j'aurais été un bon écrivain. Mais je suis têtu, je crois toujours que la destinée de Roland aurait pu donner lieu à un joli petit roman. Quand il se passionnait devant une belle édition de Montaigne ou pour le petit Raymond, je voyais dans ses yeux une telle lueur que je me mettais à espérer. Tout cela, bien entendu, c'est du passé. Me reste l'attente de la mort. J'écrirais bien à ce sujet, mais qui me lirait ?

Analyse

Une mouche tourne inlassablement autour de la tête d'Aurélien en émettant un bourdonnement si léger qu'il n'en éprouve aucun agacement. Il s'est assis il y a une quinzaine de minutes sur un siège à la Gare centrale. On vient d'annoncer le départ d'un train pour Ottawa. Une longue file de voyageurs se mettent déjà en branle. Il se demande pourquoi il ne va pas faire l'achat d'un titre de transport. Il partirait pour New York. Rien ne le retient à Montréal. Rien ni personne. Il vient de le répéter à l'analyste qu'il voit depuis bientôt onze ans. Il a toujours un passeport sur lui. Au cas où l'envie de partir serait trop pressante. Mais c'est une de ses tares, il ne désire rien.

Un vieillard à la barbe blanche mal taillée s'approche péniblement. Courbé par l'ostéoporose, il demande à Aurélien en anglais où se trouvent les toilettes. Un geste de la main suffira. En ce samedi matin, Aurélien n'a pas encore desserré les lèvres. Sait-il encore parler? Peut-il trouver les mots qui conviennent? D'autant que le vieux ne paraît pas autrement sympathique. Les cheveux longs et sales, une haleine fétide. « Ce pourrait être moi dans dix ans », pense Aurélien. S'il ne change pas de mode de vie, il le sait, ce sera la descente irrémédiable, la clochardisation. Déjà, au bureau, les plus jeunes de ses collègues le toisent avec ce qui ressemble à de l'étonnement, voire du mépris. Il a eu beau se spécialiser en informatique, être celui qu'on consulte dans les cas difficiles, ils le tiennent pour une personne hors du coup. Ils ne savent pas encore que le temps filera pour eux comme il a filé pour lui. Quand ils racontent leurs week-ends, quand ils se vantent de conquêtes qu'ils n'ont peut-être pas faites, Aurélien leur apparaît comme un ancêtre encombrant.

Rien d'étonnant à cela puisqu'il n'a jamais réussi à s'intégrer à un groupe. À l'école primaire, il s'isolait, incapable de participer à un jeu d'équipe quel qu'il puisse être. Le forçait-on à se joindre à une activité collective, la médiocrité de sa participation était accablante. Il avait alors la larme facile, s'énervait pour un rien, son cœur battait la chamade en permanence. Comme une fille, disaient les enfants autour de lui. On se moquait, on l'appelait le poète, on ridiculisait sa diction pourtant à peine surveillée. Était-ce sa faute si ses parents avaient tenu à ce qu'il s'exprimât avec distinction. Sa mère dirigeait une chorale, son père était comédien. L'autre soir, à la télévision, on avait diffusé un théâtre filmé dans lequel il tenait un rôle d'appoint. À peine une vingtaine de répliques. Quel pitoyable acteur! Et son accent provincial ridicule, ses « r » roulés, ses « i » escamotés à l'anglaise, ses dentales catastrophiques. Dire que c'était à cause de cet homme et de sa pimbêche de femme qu'il avait été si malheureux. C'était eux qui avaient contribué à l'isoler davantage. Pourtant non, croyait-il, il lui aurait suffi d'employer un double langage. Le parler surveillé à domicile, l'autre avec les camarades. « J'étais trop timoré, il faut croire. Dès ce moment-là, les dés étaient jetés. Et puis, avec quels amis me serais-je laissé aller à employer ce patois ridicule? Je n'en avais pas. »

C'est un peu ce qu'il raconte à son psy depuis toujours. Inlassablement. À la dernière séance, au début, il n'a parlé que de son père. L'homme est mort depuis vingt ans, il n'a laissé aucun souvenir dans la communauté artistique, sa vie n'a été que du vent. Sauf pour son fils qui s'est appliqué à le détester. Au point que le docteur Silyapski n'a pu se retenir. Il y avait eu de la part du psy un soupir de lassitude qu'Aurélien avait saisi au vol. Un seul mouvement des lèvres qui l'avait terrorisé. Pour faire diversion, et tout à trac, il avait parlé de sa mère. La meneuse de troupe, ainsi qu'il l'avait appelée. Il sentait le besoin d'en mettre plein la vue à cet homme à qui il versait chaque semaine une somme qui, compte tenu de ses revenus, lui paraissait de plus en plus extravagante. Sa mère, parlons-en, vit toujours. C'est la faute de cette femme s'il a toujours craint de tomber amoureux. À près de cinquante ans, il n'a connu qu'une seule liaison. Assez ténébreuse, entrecoupée d'interrogations, de tergiversations sans nombre. Partagé entre le désir de s'isoler et l'obligation de passer des soirées ennuyeuses avec une grande échalote qui se parfumait outrageusement et qui se croyait poète. Six mois d'enfer. Il en serait marqué pour la vie. Malsain, estime le psy. Il faut se secouer, agir, donner des coups de barre. Non, mais qu'est-ce qui lui a pris, au docteur Silyapski, lui si impassible d'ordinaire ? A-t-il lui aussi besoin d'une analyse ? Il en a les moyens. Son bureau est si luxueux. Il a une maison spacieuse, presque un château, à Westmount.

Les soirs de déprime, Aurélien se dit qu'il aurait probablement été moins malheureux avec une femme, une compagne qui aurait partagé ses goûts simples. Le sort avait voulu qu'il tombât sur une extravagante. Des traits passables certes, un corps filiforme, des seins minuscules et surtout un regard sans vie. Pour animer tout cela, elle se croyait obligée d'en remettre. En plus du parfum écœurant, le besoin qu'elle avait de se trouver belle, d'affirmer que ses poèmes étaient trop sublimes pour qu'on les comprenne à leur juste valeur. Une folle ! Il l'avait rencontrée à un concert. Le pianiste jouait une sonate de Bartok. Son nom ? Aurélien l'avait oublié, la mémoire lui faisait défaut de plus en plus. Le sac de Louise avait glissé sous son fauteuil. Il le lui avait rendu, elle l'avait remercié d'un sourire. Elle était seule, lui aussi. À l'entracte, il lui avait proposé de prendre un verre au bar. Pourquoi ? Puisqu'il ne parlait jamais aux inconnus et qu'elle ne lui paraissait pas particulièrement intéressante. Terne plutôt, les lèvres trop minces, le rire affecté. On aurait dit sa mère. Elle avait accepté l'invitation sans se faire prier. Comme elle était demeurée presque silencieuse au début, il avait dû s'efforcer de trouver des sujets de conversation. Le piano, elle aimait ? Oui, mais pas plus que le violon ou le violoncelle. Son truc, c'était la poésie. Valéry, Char, Anne Hébert, Anna de Noailles, des noms qu'Aurélien connaissait à peine. À tout hasard, il prononça celui d'Eluard. Ce fut l'élément déclencheur. Il apprit que Louise était réceptionniste dans un grand bureau d'avocats. S'étonnant lui-même de son audace, il lui proposa de la reconduire chez elle après le concert. Les trois tentatives de ce genre qu'il avait osées dans le passé s'étaient soldées par des échecs. Elle lui avait même offert de monter. Il avait refusé, prétextant une migraine. Ne jamais brûler les étapes, c'était sa ligne de conduite. Et puisqu'il n'était vraiment pas sûr d'avoir déniché la perle rare, mieux valait attendre. N'était-il pas étonnant de posséder déjà son numéro de téléphone ?

Certains hommes recherchent les aventures compliquées, quittes à être détruits par ce qu'il en advient. Ils se refont rapidement une carapace, foncent de nouveau vers le malheur. Ils appellent la passion de tous leurs vœux. Aurélien n'a jamais été des leurs. Pour tout dire, la petite aventure avec Louise lui semblait maintenant un cauchemar. Louise aimait sortir, elle l'entraînait au théâtre, à l'opéra, au musée, voire à des conférences pendant lesquelles des invités la plupart du temps ennuyeux péroraient à n'en plus finir sur des sujets relevant de la littérature, de la politique ou de la sociologie. Louise regrettait de ne pas avoir fait d'études universitaires. Il tentait de la consoler en lui représentant qu'il ne faut pas surestimer le monde des érudits. Parfois, elle pleurait devant lui, se plaignait des mauvais traitements que lui infligeait au travail un patron misogyne. C'est à la suite d'une confidence de cette nature qu'il connut l'amour physique. À l'initiative de Louise. Jamais il n'aurait osé prendre les devants. Pas plus qu'il n'avait eu le courage de lui avouer que c'était pour lui une première. À vingt-huit ans ! Avait-elle plus d'expérience que lui ? Elle lui confia un peu plus tard qu'elle avait été fiancée. Fiancée comme on l'était à l'époque de sa mère, bague, promesse de mariage, choix de la date, du voyage de noces, tout le tralala. Il en fut ébranlé. Tout au fond de lui persistait le souhait que la femme aimée ait une expérience amoureuse aussi ténue que la sienne.

La climatisation est trop forte. Aurélien frissonne. Il devrait se lever, marcher un peu, se dégourdir les jambes. D'autant qu'un couple d'Américains ventrus et au verbe tonitruant a pris place à ses cotés. De Boston, vient-il d'apprendre. Ils n'aiment pas Montréal, estiment qu'on y mange mal. Aurélien se retient de les apostropher. Même s'il va rarement au restaurant, il est persuadé qu'en ce qui a trait à la gastronomie, Montréal vaut bien Paris. Paris où il n'est jamais allé. « Je me retiens toujours, j'ai passé ma vie à me retenir », pense-t-il. Il n'est pas de la race de ceux qui vitupèrent. Si, il râle, mais il ne s'insurge pas. Avec des gens comme lui, jamais de pancartes brandies, encore moins de barricades ou de pierre lancées. Quand Louise lui a appris qu'elle préférait qu'ils ne se voient plus, il n'a même pas été déçu. C'était dans l'ordre des choses. Pendant six mois, il n'avait pas été seul, voilà tout. À sa façon, Louise lui avait indiqué ce que pouvait être la vie de couple. Il aurait pu ne jamais la rencontrer, mais puisque c'était elle qui avait été chargée par le sort de lui indiquer ce qu'était l'amour, tant pis. Ou tant mieux. Il se sentait libéré comme si, pendant ces interminables mois, il avait eu le pressentiment d'une menace. Le monstre Louise l'aurait maintenu dans sa toile. Elle était insupportable avec ce désir qu'elle avait de se faire dire qu'elle était belle alors qu'elle ne devenait jolie que lorsqu'elle souriait. Maintenant, Aurélien se souvient surtout de sa douceur, des efforts qu'elle faisait pour le soutenir aux moments difficiles.

Une femme passe avec un petit caniche en laisse. Aurélien n'aime pas les chiens, encore moins les caniches. L'inconnue est du type physique de Louise. Dès qu'Aurélien aperçoit une femme, il la compare à elle, l'unique point de repère qu'il ait. La jupe est très ajustée. Pas le genre de Louise. Et surtout elle n'avait pas cette démarche. Celle d'une écervelée. Louise se parfumait à outrance, mais elle n'aurait jamais marché en se dandinant de la sorte. Et le décolleté ! Il est vrai, pense-t-il, qu'avec les modes d'aujourd'hui on ne sait jamais. Il sait que Louise a épousé un avocat de son bureau, qu'elle a deux enfants, qu'elle est divorcée. Comment l'a-t-il su ? Son voisin, greffier à la Cour municipale, lui a parlé d'une hystérique qui avait piqué une crise en plein tribunal. C'était elle. Il a parfois la tentation de lui téléphoner, mais il ne s'y résout pas. Que trouverait-il à lui dire ? Certains soirs de solitude plus aiguë, il aurait su. Il lui aurait parlé du passé, de ses poèmes, des jours où malgré tout il s'était approché du bonheur. Mais était-il raisonnable de croire que Louise avait conservé d'aussi bons souvenirs ? Comme il le faisait si souvent lui-même, peut-être n'avait-elle retenu que les mauvais aspects de leur histoire ? Peut-être avait-elle remplacé son mari ? Il y avait aussi chez Aurélien la certitude qu'il était dangereux de remuer des cendres même refroidies. Il devait se contenter du calme des jours, de la répétition des gestes, de la routine que tant de gens autour de lui cherchaient à fuir. Mais Louise écrivait-elle encore des poèmes ?

La dame au caniche repasse. Son déhanchement est encore plus prononcé. Non, mais elle se dirige vers lui ! Son sourire ressemble vraiment à celui de Louise. Serait-ce elle ? Avec les femmes, tout est possible. Elle se serait rajeunie, aurait changé son allure. Pourtant, c'est impossible, l'inconnue n'a pas trente ans.

— Je m'excuse, commence-t-elle.

Le ton est ferme. On est sûr de soi. Comme Louise. D'un coup de tête, elle repousse une mèche rebelle. Un geste de Louise, surtout lorsqu'elle était embêtée ou qu'elle voulait lui annoncer une mauvaise nouvelle.

— Je m'excuse, je ne connais pas Montréal. Vous pourriez m'indiquer un hôtel pas trop loin d'ici ? J'arrive de Moncton et...

Elle a un léger accent qu'Aurélien reconnaît. Son voisin de palier, le greffier justement, vient de Bathurst. Parfois, ils jouent aux échecs ensemble. Aurélien pourrait lui indiquer qu'un escalier roulant mène directement à l'hôtel Reine Elisabeth, mais il se sent bon samaritain.

— Quelle catégorie d'hôtel recherchez-vous ?

— Pas trop cher en tout cas. Et il faut qu'ils acceptent les bêtes.

Elle donne le nom de son toutou. Un nom anglais qu'il ne retient pas.

— Je connais une petite auberge, rue Sherbrooke. Dans l'est, pas très loin de Saint-Hubert.

Quand son voisin reçoit des visiteurs de son coin, c'est là qu'ils logent. Aurélien vante les services de la maison comme s'il y trouvait son intérêt.

— C'est loin ?

— Dix minutes en taxi. Au maximum.

— Je peux m'y rendre à pied?

Aurélien remarque que le bleu des paupières de son interlocutrice est trop prononcé. Louise n'aurait pas tellement apprécié. Lui non plus. Il n'empêche que son Acadienne le fascine.

— Vous avez des bagages?

— Non, je voyage léger.

— Ça vous embête que je vous accompagne?

— Si ça vous chante. Tu es d'accord, Mitty?

Le petit chien émet un léger jappement. Selon toute apparence, il ne voit aucune objection à ce qu'il accompagne la dame.

— Je m'appelle Aurélien. Ce n'est pas un prénom très répandu, mais on s'y fait à ce qu'il paraît. Vous, c'est?

— Louise, moi c'est Louise.

Aurélien ne se souvient pas d'être entré dans un grand hôtel. Le hall du Reine Elisabeth l'a ébloui. D'autant que Louise n'est pas passée inaperçue quand ils ont franchi le hall. Son décolleté, sa jupe ajustée, son sourire, son verbe haut. Ils sont au bar. Sur la table basse devant eux, deux consommations. Il ne sait même pas ce que contient son verre. Quand le garçon lui a demandé ce qu'il souhaitait, il s'est contenté de répondre : « Comme madame. » Aurélien n'a pas l'habitude de l'alcool. L'important n'est-il pas de se laisser emporter vers l'inconnu? Quand Louise a dit qu'elle avait la gorge sèche, il a sauté sur l'occasion. Le docteur Silyapski serait content de lui.

— J'adore ce cocktail, fait-elle en lui touchant le bras.

Il répond qu'il est bien de son avis. Mitty est couché

près de sa maîtresse, le museau entre les pattes. De temps à autre, elle lui glisse une olive. Pour dire quelque chose, Aurélien avance :

— Je viens de lire qu'à Los Angeles un groupe de pression s'oppose à l'emploi du terme de « maître » pour décrire le propriétaire d'un chien. Pour eux, c'est un compagnon. On ne le possède pas, on vit avec lui. Vous ne trouvez pas que c'est un peu ridicule ?

— Ils sont fous, ces Américains ! Si on se tutoyait, qu'est-ce que tu en penses ? Chez nous, en Acadie, tout le monde se tutoie.

Aurélien ne tutoie même pas son collègue de bureau avec qui il travaille depuis quinze ans. Il se déclare d'accord.

— Tu en veux un autre ? demande-t-il en pointant le verre vide de Louise.

— Non, j'ai déjà la tête qui tourne. La fatigue du voyage sans doute.

— Tu es venue en train ?

— Ne m'en parle pas. Le trajet n'a pas été agréable. Un bébé qui pleurait tout le temps, un gros qui n'a pas cessé de ronfler. Mais dis-moi, tu ne parles pas comme tout le monde. Es-tu français ?

Aurélien rougit. Il n'a jamais aimé qu'on lui fasse compliment de son élocution. Pas sa faute si son père était un cinglé qui l'a élevé en serre chaude !

— Ça te plairait d'avoir une chambre ici ?

— Je n'ai pas les moyens.

— Et si je te l'offre ?

— Non, mais tu es fou !

Il se lève d'un bond, se dirige vers la réception. Il

retient la chambre 905, donne sa carte bancaire en garantie. Quand il revient vers Louise, elle a sorti un petit miroir et se poudre le nez.

— Il paraît que la vue est belle, commence-t-il, tu verras le mont Royal dès ton lever. Tu aimes faire la grasse matinée ?

— Ça dépend.

— Tu ferais mieux de monter à ta chambre, tu ne trouves pas ?

— Je pense que tu as raison. Viens, Mitty !

— Je peux t'accompagner ?

Il s'étonne de son audace. Mais pourquoi se gêner ? Après tout, cette Louise-là en a vu d'autres. Sinon, lui aurait-elle adressé la parole, lui aurait-elle demandé de la tutoyer, aurait-elle accepté si aisément qu'il se montre garant d'elle ? Pourquoi l'a-t-elle choisi, lui ? La gare était bondée. Sûrement parce qu'il était seul, qu'il ne semblait pas tellement méchant, qu'il paraissait même une bonne poire. Aurélien sait tout ça, mais il ne sent pas le besoin de s'arrêter en si bon chemin. Il n'est pas désagréable du tout d'enfreindre après tant d'années les règles de la prudence la plus élémentaire. Louise le mène par le bout du nez, mais cette constatation est loin de le retenir, elle le grise, bien au contraire.

— Pas maintenant, répond-elle en esquissant une moue. Laisse-moi me reposer. Je peux te rappeler ?

Il lui tend une des cartes jaunies qu'il traîne sur lui depuis toujours et qui ne lui servent jamais. Elle le remercie d'un sourire, tire sur la laisse de Mitty. Il aimerait bien l'embrasser, mais il a trop hésité.

— Je serai chez moi toute la soirée, parvient-il à dire.

Tu peux m'appeler, n'hésite pas. Une soirée au casino, tu aimerais ?

— Le casino, tu n'es pas sérieux ? Si tu savais comme j'aime le black jack !

Elle va vers lui, l'embrasse sur la bouche en écartant légèrement les lèvres. Il sent le poids de ses seins sur sa poitrine. Pour la première fois depuis longtemps, il est envahi par une fièvre dont le souvenir même s'était éteint. Dès cet instant, il sait qu'il va s'arrêter à une bijouterie qu'il a aperçue tout à l'heure dans le passage qui mène à la gare. Un collier, une broche, il l'ignore encore, pourquoi pas un pendentif ?

Une invitation

À vrai dire, nous n'avions pas l'intention d'accepter cette invitation. Jenny et moi, ça ne va pas très bien. Je nous donne encore un mois. Deux peut-être. Elle ne voulait pas m'accompagner, mais j'ai insisté. Pas mon genre. Comment couper à cette proposition de François ? Je lui dois trois mille dollars. Déjà un an que j'aurais dû le rembourser. L'argent me coule entre les doigts. Il faut dire qu'avec Jenny, ce n'est pas facile. Non qu'elle soit plus panier percé qu'une autre, mais elle attire le malheur. Ce soir, par exemple, juste avant de monter dans l'auto elle a réussi à se faire une entorse. Elle boite légèrement, grimace de douleur. Le mois dernier, c'était son dos. Et toujours une migraine lancinante. Combien de rendez-vous n'avons-nous pas annulés à cause de ses indispositions ? C'est comme pour le travail. Elle ne garde jamais ses boulots. Par absentéisme ou parce qu'elle claque la porte. J'aurais pourtant bien besoin de son apport financier. Je monte des affaires. Actuellement je suis sur un coup, une chanteuse dont la carrière me tient à cœur. Entendre par là que j'espère tirer beaucoup d'argent de la tournée de promotion que je vais organiser pour elle. Nul doute, je tiens un filon, Carmen fera un carton. Si seulement je peux trouver dix mille dollars. Pas un sou de plus. « Alors, ai-je dit à Jenny, il faut que nous allions chez François, lui seul peut m'aider. » Elle m'a regardé d'un air méchant, a rigolé, mais elle n'a pas refusé de m'accompagner.

François habite une petite maison dans les Laurentides. Je ne l'envie pas. L'hiver, on peut à peine s'y rendre. L'état des routes, les pentes surtout, rend l'expédition hasardeuse. Nous sommes en février. Il a neigé abondamment hier. Il a fallu laisser l'auto près de la route et escalader à pied la côte qui mène à la maison de François. Pauvre Jenny, elle parvient à peine à me suivre. En réalité, la maison appartient à sa femme, Maryse. Une peste. Jenny ne peut pas la supporter. Moi, ça va. Je sais composer, je m'en suis même fait une règle de vie.

Nous arrivons devant le chalet suisse que François a tant bien que mal transformé en habitation permanente. Jenny a de plus en plus l'air mauvais. Elle contemple l'affichette qui proclame que nous sommes bien au *Domaine des grives,* hausse les épaules de dépit. Je ne dis rien qui puisse l'aiguillonner. Pourvu qu'elle sache se retenir tout à l'heure. Je n'aurais pas dû insister, prétendre qu'à cause de sa migraine elle n'avait pu m'accompagner. François aurait compris, il comprend toujours. Mais Maryse ? Les deux femmes ne se blairent pas.

Il y a bien vingt ans que je connais Maryse et François. Juste après leur mariage, ils habitaient à Outremont un petit appartement à l'étage supérieur d'un duplex. Déjà à cette époque, elle était poseuse. Un corps magnifique malgré une poitrine plate, des cheveux noirs très touffus, des lèvres pincées. Et surtout une prétention insupportable, toujours à parler des toiles plutôt nulles qu'elle exposait dans de petites galeries. Elle n'en revenait pas d'être la fille d'un sénateur. Je l'avais connu, celui-là, un traficoteur qui avait fait fortune comme importateur de vins français. Poivrot, m'as-tu-vu, mais brave homme au demeurant. Sa fille, elle, ne buvait pas, elle pérorait. Comment François, pourtant bien de sa personne, professeur, bientôt écrivain, avait-il pu s'amouracher d'une telle harpie ? L'intérêt ? Pas du tout, Maryse avait réussi à se brouiller avec son père. L'amour ? Comment était-il possible de s'éprendre d'une femme qui croyait posséder le fin mot de tout ? Selon moi, il manquait d'ambition, il était paresseux, il aurait trouvé compliqué de s'adresser ailleurs. À trente ans, il se tenait pour casé. Maryse a mal vieilli. Le corps s'est épaissi, le nez est devenu légèrement épaté. Son timbre de voix est presque strident.

— Vous prendrez bien quelque chose ? demande-t-elle en regardant Jenny du coin de l'œil. Elle doit trouver que sa robe est trop moulante.

Chez François, le bar est toujours dégarni. On jurerait qu'on arrive au lendemain d'une nouba bien arrosée. Ce n'est pas qu'il soit radin. Maryse n'aime pas l'alcool, surveille son alimentation. À croire qu'elle souhaite vivre jusqu'à cent ans. Boire en sa présence est tout un exploit. Jenny prendra un verre de saumur. Elle avait opté pour du muscadet, il n'y en a plus. François me propose un fond de

Cinzano. Il est le spécialiste des bouteilles presque vides. Vous offre-t-il du champagne, il parle d'un doigt de champagne. Il vit à petit registre. Je lui en faisais le reproche à l'époque. Il y a belle lurette que je ne lui dis plus rien. J'ai besoin de lui. Et puis, je l'aime bien, il est mon seul ami. C'est à cause de lui que je tolère sa Maryse.

— Alain, dit Maryse, un verre de jus à la main, François a dû te le raconter, nous partons en voyage le mois prochain.

— Il ne m'a rien dit.

— Étonnant ! Un long voyage. Un séjour en Bretagne. Nous serons absents toute une année. Non, mais c'est vrai, il ne t'a rien dit ?

François est mal à l'aise. Il a tort. Il n'a pas à me tenir au courant de ses moindres déplacements. Pourtant, une année, c'est beaucoup. Il bafouille, se racle la gorge, finit par dire :

— J'attendais que l'affaire soit vraiment réglée pour t'en parler. C'est pour ça que je vous ai invités. J'ai obtenu une bourse.

— À ton âge ? dit Jenny qui ne fait rien pour dissimuler son étonnement.

— L'âge ne fait rien à l'affaire, s'empresse de commenter Maryse. François est un écrivain reconnu, il est normal qu'on soutienne son œuvre.

J'en conviens. Difficile de la contredire. Pas ce soir en tout cas, j'ai besoin des dix mille dollars qu'il me prêtera. Pourtant, je ne comprends pas. La solitude, il l'a tant qu'il veut, dans ce chalet perdu en montagne.

— J'ai besoin de changer d'air. J'ai loué une petite maison près de Douarnenez, une maison de pêcheur. Pour des clopinettes.

— Comme ça, Maryse t'accompagne? demande Jenny sur un ton qui ne laisse rien deviner de son désintérêt. Elle trouve nuls les romans de François. Moi, je ne sais pas trop, je n'ai jamais été un grand liseur.

— Bien sûr, répond François. Sans elle, je ne pourrais pas écrire.

— Et quand il s'enfermera à double tour, qu'est-ce que tu feras? demande Jenny en se tournant vers Maryse.

— Rien, probablement. Actuellement, je me sens tellement lasse.

— Ta bourse, elle est généreuse?

C'est plus fort que moi, je m'inquiète. Je ne veux surtout pas qu'il me réclame la somme que je lui dois. Pour ce qui est de Carmen, ce n'est pas encore le moment. Pas ce soir, apparemment. Je me débrouillerai autrement. Comment? Je l'ignore. Maryse dispose bien de quelques réserves, mais plutôt mourir que m'adresser à elle. Une soirée de perdue. Jenny va me tuer. Elle s'ennuie, deux fois qu'elle bâille.

— Elle est pas mal, ma bourse, finit par répondre François, non sans avoir jeté un coup d'œil en direction de Maryse.

— Et puis, ajoute Jenny, vous n'aviez pas tellement besoin de cette bourse au fond. François a cinquante ans, il a son salaire de professeur. Toi, tu dois bien finir par vendre une toile par-ci par-là. Vous n'avez pas d'enfant.

— Évidemment, comme dit François, nous ne sommes pas à plaindre, renchérit Maryse. Grâce à nos économies, grâce à notre style de vie, grâce aussi à notre talent, il faut bien l'avouer, nous pouvons voir venir.

— Plus que nous, dit Jenny. Si Alain ne se contentait

pas de rêves impossibles, si je n'étais pas si malchanceuse, nous pourrions nous aussi partir pour l'étranger. Moi, je ne choisirais pas la Bretagne toutefois. Je préférerais la Loire ou la Provence. N'est-ce pas, Alain ? Parle-nous de ta Carmen. L'accompagneras-tu à Saint-Malo, l'été prochain ?

Qu'est-ce qui lui prend, à celle-là ? Il n'est pas question que Carmen se rende en France. Elle n'est même pas connue au Québec. Je finis par comprendre que, pour une fois, Jenny entend me mettre en valeur. Pour faire la nique à Maryse, pour lui prouver que François n'est pas le seul à pouvoir partir.

— Qui est cette Carmen ? demande Maryse en ne cherchant pas à dissimuler un air de dédain. Une autre de tes découvertes ?

Elle a atteint la cible. Je n'ai rien accompli de bien marquant dans le domaine des variétés. Pas plus d'ailleurs que dans l'immobilier ou l'enseignement. Car j'ai été un collègue de François, il enseignait la littérature québécoise, moi la géographie et l'histoire. Pourtant cette fois, il me semble que je tiens une affaire. Carmen fera une carrière fructueuse, je le sens, elle a une personnalité, une voix, un charme indéniable.

— Je pourrais vous parler d'elle longuement, mais je ne veux pas vous ennuyer. C'est toi, François, qui m'intéresse. Tu veux écrire un autre roman ? Tu as ton sujet ? Dans quel genre d'endroit allez-vous vivre ? En bordure de la mer ? Qu'est-ce que vous allez faire de votre maison ? La louer ?

François répond en détail à toutes mes questions. Il resplendit, il brille de mille feux. Quand il offre une deuxième tournée, je me crois devant un autre François. On me l'aurait transformé. Habituellement, il faut que Jenny constate sans avoir l'air d'y attacher la moindre importance que son verre est vide et qu'il serait peut-être indiqué de le remplir illico. Les femmes sont passées à la cuisine, François se penche vers moi et d'une voix à peine audible me dit :

— Maryse l'ignore, mais j'ai donné ma démission au collège. Ils n'ont pas voulu m'accorder un congé d'un an, alors je les ai envoyés paître.

— Mais qu'est-ce que tu feras au retour ?

— Je ne sais pas. Nous verrons.

Je ne comprends plus rien. François m'a toujours semblé un petit-bourgeois modèle. Il y a six mois à peine, il ne parlait que de la retraite qu'il prendrait dans dix ans, de la somme qu'il recevrait alors à titre de rente.

— Aussi bien te dire la vérité, commence-t-il. On ne m'a pas accordé de bourse. Je n'ai pas non plus l'intention d'écrire un roman. Je me sens à court d'idées. Au moins un an que ça dure. Mais il y a autre chose. J'ai eu une aventure avec une de mes étudiantes. Pendant trois mois, tout a bien marché. Il arrive toutefois qu'elle est devenue exigeante, qu'elle veut que j'abandonne Maryse. Il n'en est pas question. Alors, la seule solution, partir. Quand nous reviendrons, elle aura peut-être tout oublié, la petite. Elle est mignonne, regarde.

Il ouvre son porte-billets, en sort la photo d'une adolescente. Pas très jolie. Il est vrai que j'ai des goûts particuliers. Carmen, pour moi, c'est du tonnerre alors que Jenny la trouve moche. Pas sa faute, elle ne plaît pas aux femmes.

— Elle s'appelle comment ?

Plutôt que de me répondre, il se met à pleurer. Je lui signale que les femmes peuvent revenir de la cuisine à tout moment.

— Si tu savais comme je l'aime ! parvient-il à prononcer entre deux sanglots. Elle me comprend. Elle a lu tous mes livres, tous sans exception. Mais je ne peux pas quitter Maryse. Tu me comprends, dis-le moi, j'ai besoin que tu me le dises ! Que ferais-tu à ma place ?

Je réponds que je ne sais pas. Tout en prenant soin de dire que personne n'est irremplaçable. Je ne crois pas, par exemple, que Jenny mourra de chagrin quand je l'abandonnerai. Elle poussera probablement un soupir de soulagement. Comme l'écrit François dans ses romans, notre union ne tient qu'à un fil. J'admets mon inculture, mais je sais qu'il écrit comme un pied. Comment aime-t-il ? Les femmes rient à gorge déployée. Cette belle entente ne me surprend pas. Elles doivent se moquer de nous. Jenny et Maryse ont beau se détester cordialement, quand il s'agit des hommes, elles trouvent aisément un terrain d'entente.

— Je me suis souvent demandé si Maryse m'aimait encore. Je n'ai pas trouvé de réponse. Quant à moi, je me suis habitué, c'est tout. Je n'ai jamais ressenti pour elle la moindre passion. Elle non plus, probablement. Pourtant, c'est elle qui l'emportera sur la petite. Manon ne mérite pas le sort que je lui réserve.

Enfin, je connais son prénom. Manon, ça sonne un peu comme Carmen.

— Tu ne lui as rien dit ?

Et moi, qu'est-ce que je vais trouver pour faire patienter Carmen, qui doit déjà s'imaginer que je lui prépare une tournée au Québec et dans le nord de l'Ontario ? Dire qu'avec dix mille dollars je pouvais tout mettre en branle ! J'aurais bossé fort, j'aurais retardé le plus de paiements possible, je me serais démené comme cinq, mais nous aurions triomphé, Carmen et moi.

— Presque rien. Elle croit que nous ne partons que dans six mois. Je n'ai pas osé lui apprendre la vérité. Quand elle la saura, comment réagira-t-elle ? Je crains le pire. Elle est tellement émotive. À dix-huit ans, on ne sait rien. Pourvu qu'elle ne commette pas un geste irréparable. Je ne me le pardonnerais pas.

Je lui dis qu'il ne faut rien exagérer. Sa Manon tombera amoureuse d'un autre prof ou d'un garçon de son âge. Cette explication n'a pas l'heur de lui plaire. En plus, il est jaloux. Il ne veut pas, au fond, que la petite le remplace. Plus aucune trace des larmes qu'il vient de verser.

— Tu vas pouvoir me rendre les trois mille dollars que tu me dois ? J'en ai besoin. J'emmène Manon en vacances. Maryse croit que je vais à un congrès à Toronto. Ce sera notre dernier week-end ensemble.

Je cherche un moyen de lui apprendre que je n'ai pas le moindre sou lorsque les femmes réapparaissent. Maryse apporte des canapés au saumon, Jenny des petits-fours. Elles se regardent en riant. François les accueille par des exclamations. Comme s'il n'avait rien bouffé depuis des lustres. Jenny me tend une serviette de papier au dessin ridicule en me chuchotant que Maryse est encore plus odieuse qu'elle le croyait.

— François écrit des poèmes, le saviez-vous ? fait notre hôtesse en souriant d'un air équivoque. Des poèmes d'amour en plus. Ça lui est venu sur le tard. Écoutez-moi celui-ci :

Le jour s'est levé
Tu me manques déjà
Te verrai-je ce soir
Toi l'éternelle.

Se moque-t-elle de François? Je n'en suis pas sûr. Il pourrait être intimidé. Au contraire, il jubile, un éclair de bonheur illumine son regard. Il se tourne vers Jenny.

— Qu'est-ce que tu en penses? J'ai écrit ce petit poème pour mes étudiants. Je voulais les inciter à faire de même. Si tu savais, ma chère, comme ils sont imperméables à la poésie.

Manon l'a sûrement lu, ce poème. Jenny n'est pas impressionnée. Le mot « éternelle » l'a fait tiquer. Elle affirme qu'elle ne croit qu'au passager, qu'à l'éphémère. « Et toi ? » me demande-t-elle. Je réponds pour me débarrasser que le poème m'a paru être dans la même tonalité que le dernier roman de François. Roman que je n'ai pas lu. Je lis de moins en moins. De toute manière, rien de ce qu'a pu publier ce farceur ne m'a jamais intéressé. Ma vie aurait été tout autre si j'avais pu compter sur un seul ami véritable. Il ne fait pas le poids.

Dans l'auto, Jenny a peu parlé. Elle vient de m'apprendre que Maryse n'est pas du voyage en Bretagne. Elle sait tout de la liaison de son mari. Manon est très bavarde.

— Et ton argent, tu l'auras ? demande Jenny.

— J'ai changé d'idée. Avec Carmen, tu vois, il y a trop de risques. Je vais continuer à prospecter, je finirai bien par trouver la perle rare. Je t'ai déjà parlé de mon rappeur ?

Jenny se met à rire. Elle ne parvient pas à s'arrêter. Pour ne pas avoir l'air idiot, je l'imite.